ein Ullstein Buch

D1371642

ein Ullstein Buch
Nr. 2947
im Verlag Ullstein GmbH,
Frankfurt/M – Berlin – Wien

Ungekürzte Ausgabe

Umschlaggestaltung:
Hansbernd Lindemann
Autorenfoto:
Wolfgang Krämer
Alle Rechte vorbehalten
Mit Genehmigung des
Ernst Klett Verlags, Stuttgart
© 1960 by Ernst Klett Verlag,
Stuttgart
Printed in Germany 1983
Druck und Verarbeitung
Mohndruck Graphische Betriebe
GmbH, Gütersloh
ISBN 3 548 02947 7

Februar 1983
41.–45. Tsd.

Vom selben Autor
in der Reihe der
Ullstein Bücher:

Ernst Jünger

Auf den Marmorklippen

ein Ullstein Buch

1

Ihr alle kennt die wilde Schwermut, die uns bei der Erinnerung an Zeiten des Glückes ergreift. Wie unwiderruflich sind sie doch dahin, und unbarmherziger sind wir von ihnen getrennt als durch alle Entfernungen. Auch treten im Nachglanz die Bilder lockender hervor; wir denken an sie wie an den Körper einer toten Geliebten zurück, der tief in der Erde ruht und der uns nun gleich einer Wüstenspiegelung in einer höheren und geistigeren Pracht erschauern läßt. Und immer wieder tasten wir in unseren durstigen Träumen dem Vergangenen in jeder Einzelheit, in jeder Falte nach. Dann will es uns scheinen, als hätten wir das Maß des Lebens und der Liebe nicht bis zum Rande gefüllt gehabt, doch keine Reue bringt das Versäumte zurück. O möchte dieses Gefühl uns doch für jeden Augenblick des Glückes eine Lehre sein!

Und süßer noch wird die Erinnerung an unsere Mond- und Sonnenjahre, wenn jäher Schrecken sie beendete. Dann erst begreifen wir, wie sehr es schon ein Glücksfall für uns Menschen ist, wenn wir in unseren kleinen Gemeinschaften dahinleben, unter friedlichem Dach, bei guten Gesprächen und mit liebevollem Gruß am Morgen und zur Nacht. Ach, stets zu spät erkennen wir, daß damit schon das Füllhorn reich für uns geöffnet war.

So denke ich auch an die Zeiten, in denen wir an der Großen Marina lebten, zurück — erst die Erinnerung treibt ihren Zauber hervor. Damals freilich schien manche Sorge, mancher Kummer uns die Tage zu verdunkeln, und vor allem waren wir vor dem Oberförster auf der Hut. Wir lebten daher mit einer gewissen Strenge und in schlichten Gewändern, obwohl kein Gelübde uns band. Zweimal im Jahre ließen wir indessen das rote Futter durchleuchten — einmal im Frühling und einmal im Herbst.

Im Herbste zechten wir als Weise und taten den köstlichen Weinen, die an den Südhängen der Großen Marina gedeihen, Ehre an. Wenn wir in den Gärten zwischen dem roten Laube und den dunklen Trauben die scherzenden Rufe der Winzer vernahmen, wenn in den kleinen Städten und Dörfern die Torkel zu knarren begannen und der Geruch der frischen Trester um die Höfe seine gärenden Schleier zog, stiegen wir zu den Wirten, den Küfern und Weinbauern hinab und tranken mit ihnen aus dem bauchigen Krug. Dort trafen wir immer heitere Genossen an, denn das Land ist reich und schön, so daß unbekümmerte Muße in ihm gedeiht, und Witz und Laune gelten als bare Münze in ihm.

So saßen wir Abend für Abend beim fröhlichen Mahl. In diesen Wochen ziehen vermummte Wingertswächter vom Morgengrauen bis zur Nacht mit Knarren und Flinten in den Gärten umher und halten die lüsternen Vögel in Schach. Spät kehren sie mit Kränzen von Wachteln, von gesprenkelten Drosseln und Feigenfressern zurück, und bald erscheint dann ihre Beute auf Weinlaub gebettet in großen Schüsseln auf dem Tisch. Auch aßen wir gern geröstete Kastanien und junge Nüsse zum neuen Weine und vor allem die herrlichen Pilze, nach denen man dort mit Hunden in den Wäldern spürt — die weiße Trüffel, die zierliche Werpel und den roten Kaiserschwamm.

Solange der Wein noch süß und honigfarben war, saßen

wir einträchtig am Tisch, bei friedlichen Gesprächen und oft den Arm auf die Schulter des Nachbarn gelegt. Sobald er jedoch zu arbeiten und die erdigen Teile abzustoßen begann, wachten die Lebensgeister mächtig auf. Es gab dann glänzende Zweikämpfe, bei denen die Waffe des Gelächters entschied und bei denen sich Fechter begegneten, die sich durch die leichte, freie Führung des Gedankens auszeichneten, wie man sie nur in einem langen, müßigen Leben gewinnt.

Aber höher noch als diese Stunden, die in funkelnder Laune dahineilten, schätzten wir den stillen Heimweg durch Gärten und Felder in der Tiefe der Trunkenheit, während schon der Morgentau sich auf die bunten Blätter schlug. Wenn wir das Hahnentor der kleinen Stadt durchschritten hatten, sahen wir zu unserer Rechten den Seestrand leuchten, und zu unserer Linken stiegen im Mondlicht gleißend die Marmorklippen an. Dazwischen eingebettet streckten sich die Rebenhügel aus, in deren Hängen sich der Pfad verlor.

An diese Wege knüpfen sich Erinnerungen an ein helles, staunendes Erwachen, das uns zugleich mit Scheu erfüllte und erheiterte. Es war, als tauchten wir aus der Lebenstiefe an ihre Oberfläche auf. Gleichwie ein Pochen uns aus unserm Schlaf erweckt, fiel da ein Bildnis in das Dunkel unseres Rausches ein — vielleicht das Bockshorn, wie es dort der Bauersmann an hohen Stangen in den Boden seiner Gärten stößt, vielleicht der Uhu, der mit gelben Augen auf dem Firste einer Scheuer saß, oder ein Meteor, der knisternd über das Gewölbe schoß. Stets aber blieben wir wie versteinert stehen, und ein jäher Schauer faßte uns im Blut. Dann schien es uns, als oυ ein neuer Sinn, das Land zu schauen, uns verliehen sei; wir blickten wie mit Augen, denen es gegeben ist, das Gold und die Kristalle tief unter der gläsernen Erde in leuchtenden Adern zu sehen. Und dann geschah es, daß sie sich näherten, grau und schattenhaft, die uransässigen Geister des Landes, längst hier beheimatet, bevor die Glocken der Klosterkirche erklangen und bevor ein Pflug die Scholle brach. Sie näherten sich uns zögernd, mit groben, hölzernen Gesichtern, deren Miene in unergründlicher Übereinstimmung heiter und furchtbar war; und wir erblickten sie, zugleich erschrockenen und tief gerührten Herzens, im Weinbergland. Zuweilen schien es uns, als ob sie sprechen wollten, doch bald entschwanden sie wie Rauch.

Schweigend legten wir dann den kurzen Weg zur Rautenklause zurück. Wenn das Licht in der Bibliothek aufflammte, sahen wir uns an, und ich erblickte das hohe, strahlende Leuchten in Bruder Othos Gesicht. In diesem Spiegel erkannte ich, daß die Begegnung kein Trug gewesen war. Ohne ein Wort zu wechseln, drückten wir uns die Hand, und ich stieg ins Herbarium hinauf. Auch ferner war von solchem nie die Rede zwischen uns.

Oben saß ich noch lange am offenen Fenster in großer Heiterkeit und fühlte von Herzen, wie sich der Lebensstoff in goldenen Fäden von der Spindel wand. Dann stieg die Sonne über Alta Plana auf, und leuchtend erhellten sich die Lande bis an die Grenzen von Burgund. Die wilden Schroffen und Gletscher funkelten in Weiß und Rot, und zitternd formten sich die hohen Ufer im grünen Spiegel der Marina ab.

Am spitzen Giebel begannen nun die Hausrotschwänzchen ihren Tag und fütterten die zweite Brut, die hungrig zirpte, als würden Messerchen gewetzt. Aus den Schilfgürteln des Sees stiegen Ketten von Enten auf, und in den Gärten pickten Fink und Stieglitz die letzten Beeren von den Reben ab. Dann hörte ich, wie die Tür der Bibliothek sich öffnete, und Bruder Otho trat in den Garten, um nach den Lilien zu schauen.

2

Im Frühling aber zechten wir als Narren, wie es dortzulande üblich ist. Wir hüllten uns in bunte Narrenkittel, deren eingefetzter Stoff wie Vogelfedern leuchtete, und setzten die starren Schnabelmasken auf. Dann sprangen wir im Narrenschritte und die Arme wie Flügel schwingend hinab ins Städtchen, auf dessen altem Markte der hohe Narrenbaum errichtet war. Dort fand im Fackelschein der Maskenaufzug statt; die Männer gingen als Vögel, und die Frauen waren in die Prachtgewänder vergangener Jahrhunderte vermummt. Sie riefen uns mit hoher, verstellter Spieluhrstimme Scherzworte zu, und wir erwiderten mit schrillem Vogelschrei.

Schon lockten uns aus den Schenken und Küferkellern die Märsche der Federinnungen — die dünnen, stechenden Flöten der Distelfinken, die schwirrenden Zithern der Mauerkäuze, die röhrenden Baßgeigen der Auerhähne und die quiekenden Handorgeln, mit denen die Wiedehopfzunft ihre schändlichen Verse instrumentiert. Bruder Otho und ich gesellten uns den Schwarzspechten zu, bei denen man den Marsch mit Kochlöffeln auf hölzerne Zuber schlägt, und hielten närrischen Rat und Gericht. Hier galt es behutsam zu trinken, denn wir mußten den Wein mit Halmen durch die Nüstern der Schnäbel aus dem Glase ziehen. Wenn uns der Kopf zu rauchen drohte, erfrischte uns ein Streifzug durch die Gärten und Gräben am Ringwalle, auch schwärmten wir auf die Tanzböden aus, oder wir schlugen in der Laube eines Wirtes die Maske auf und speisten in Gesellschaft eines flüchtigen Liebchens aus Buckelpfannen ein Gericht von Schnecken auf Burgunder Art.

Überall und bis zum Morgengrauen ertönte in diesen Nächten der schrille Vogelruf — in den dunklen Gassen und an der Großen Marina, in den Kastanienhainen und Weingärten, von den mit Lampionen geschmückten Gondeln auf der dunklen Fläche des Sees und selbst zwischen den hohen Zypressen der Friedhöfe. Und immer, wie sein Echo, hörte man auch den erschreckten, flüchtenden Schrei, der ihn erwiderte. Die Frauen dieses Landes sind schön und voll der spendenden Kraft, die der Alte Pulverkopf die schenkende Tugend nennt.

Wißt Ihr, nicht die Schmerzen dieses Lebens, doch sein Übermut und seine wilde Fülle bringen, wenn wir uns an sie erinnern, uns den Tränen nah. So liegt dieses Stimmenspiel mir tief im Ohre, und vor allem jener unterdrückte Schrei, mit dem Lauretta mir am Wall begegnete. Obwohl ein weißer, goldbordierter Reifrock ihre Glieder und die Perlmuttlarve ihr Gesicht verbarg, hatte ich sie an der Art, in der sie schreitend ihre Hüfte bog, im Dunkel der Allee sogleich erkannt, und ich barg mich listig hinter einem Baum. Dann erschreckte ich sie durch das Spechtsgelächter und verfolgte sie, indem ich mit den weiten, schwarzen Ärmeln flatterte. Oben, wo der Römerstein im Weinland steht, fing ich die Erschöpfte ein, und zitternd preßte ich sie in den Arm, die feuerrote Maske über ihr Gesicht gebeugt. Als ich sie wie träumend und durch Zaubermacht gebannt so in meinem Griffe ruhend fühlte, faßte mich das Mitleid an, und lächelnd streifte ich die Vogellarve auf die Stirn empor.

Da begann auch sie zu lächeln, und leise legte sie die Hand auf meinen Mund — leise, daß ich nur den Atem, der durch ihre Finger wehte, in der Stille noch vernahm.

3

Sonst aber lebten wir in unserer Rautenklause tagaus, tagein in großer Eingezogenheit. Die Klause stand am Rand der Marmorklippen, inmitten einer der Felseninseln, wie man sie hier und dort das Rebenland durchbrechen sieht. Ihr Garten war in schmalen Bänken aus dem Gestein gespart, und an den Rändern seiner locker aufgeführten Mauern hatten sich die wilden Kräuter angesiedelt, wie sie im fetten Weinbergland gedeihen. Hier blühte im frühen Jahr die blaue Perlentraube der Muskathyazinthe, und im Herbst erfreute uns die Judenkirsche mit ihrer gleich roten Lampionen leuchtenden Frucht. Zu allen Zeiten aber säumten Haus und Garten die silbergrünen Rautenbüsche, denen bei hohem Sonnenstande wirbelnd ein krauser Duft entstieg.

Am Mittag, wenn die große Hitze die Trauben kochte, war es in der Klause erquickend kühl, denn nicht nur waren ihre Böden nach südlicher Manier mit Mosaiken ausgelegt, sondern es ragten manche ihrer Räume auch in den Fels hinein. Doch lag ich um diese Zeit auch gern auf der Terrasse ausgestreckt und hörte halb im Schlaf dem gläsernen Gesange der Zikaden zu. Dann fielen die Segelfalter in den Garten ein und flogen die Tellerblüten der wilden Möhre an, und auf den Klippen sonnten die Perlenechsen sich am Stein. Und endlich, wenn der weiße Sand des Schlangenpfades in Hochglut flammte, schoben sich langsam die Lanzenottern auf ihn vor, und bald war er von ihnen wie ein Hieroglyphenband bedeckt.

Wir hegten vor diesen Tieren, die zahlreich in den Klüften und Schrunden der Rautenklause hausten, keine Furcht; vielmehr ergötzte uns bei Tage ihr Farbenglanz und nachts das feine, klingende Pfeifen, mit dem sie ihr Liebesspiel begleiteten. Oft schritten wir mit leicht gerafften Kleidern über sie hinweg und schoben sie, wenn wir Besuch bekamen, dem vor ihnen graute, mit den Füßen aus dem Weg. Stets aber gingen wir mit unseren Gästen auf dem Schlangenpfade Hand in Hand; und oft bemerkte ich dabei, daß ein Gefühl der Freiheit und der tänzerischen Sicherheit, das uns auf dieser Bahn ergriff, sich ihnen mitzuteilen schien.

Viel wirkte wohl zusammen, die Tiere so vertraut zu machen, doch hätten wir von ihrem Treiben ohne Lampusa, unsere alte Köchin, kaum geahnt. Lampusa stellte ihnen, solange der Sommer währte, Abend für Abend vor die Felsenküche ein Silberkesselchen voll Milch; dann lockte sie die

Tiere mit dunklem Ruf herbei. Da sah man in den letzten Sonnenstrahlen überall im Garten die goldene Windung leuchten, über der schwarzen Erde der Lilienbeete und den silbergrünen Rautenpolstern und hoch im Hasel- und Holunderstrauch. Dann legten die Tiere, das Zeichen des geflammten Feuerkranzes bildend, sich um das Kesselchen und nahmen die Gabe an.

Bei dieser Spende hielt Lampusa schon früh den kleinen Erio auf dem Arm, der ihren Ruf mit seinem Stimmchen begleitete. Wie sehr erstaunte ich indessen, als ich eines Abends, kaum daß es laufen konnte, das Kind das Kesselchen ins Freie schleppen sah. Dort schlug es seinen Rand mit einem Birnholzlöffel, und leuchtend glitten die roten Schlangen aus den Klüften der Marmorklippen vor. Und wie im Helltraum hörte ich den kleinen Erio lachen, als er zwischen ihnen auf dem gestampften Lehm des Küchenvorhofs stand. Die Tiere umspielten ihn halb aufgerichtet und wiegten über seinem Scheitel in schnellem Pendelschlage die schweren Dreiecksköpfe hin und her. Ich stand auf dem Altan und wagte meinen Erio nicht anzurufen, wie jemand, den man schlafend auf steilen Firsten wandeln sieht. Doch da erblickte ich die Alte vor der Felsenküche — Lampusa, die dort mit gekreuzten Armen stand und lächelte. Bei ihrem Anblick erfaßte mich das herrliche Gefühl der Sicherheit in flammender Gefahr.

Seit jenem Abend war es Erio, der uns so das Vesperglöcklein läutete. Wenn wir den Klang des Kesselchens vernahmen, legten wir die Arbeit nieder, um uns am Anblick seiner Spende zu erfreuen. Bruder Otho eilte aus seiner

13

Bibliothek und ich aus dem Herbarium auf den inneren Altan, und auch Lampusa trat vom Herd hinzu und lauschte dem Kinde mit stolzem, zärtlichem Gesicht. Wir pflegten uns dann an seinem Eifer zu ergötzen, mit dem es die Tiere in Ordnung hielt. Bald konnte Erio ein jedes bei Namen nennen und trippelte mit seinem Röckchen aus blauem, goldgefaßtem Sammet in ihrem Kreis umher. Auch achtete er sehr darauf, daß alle von der Milch bekamen, und schaffte für die Nachzüglerinnen Raum am Kesselchen. Dann pochte er diese oder jene der Trinkerinnen mit seinem Birnholzlöffel auf den Kopf, oder er packte sie, wenn sie nicht schnell genug den Platz verließ, am Nackenansatz und zerrte sie mit aller Kraft hinweg. Wie derb er sie indes auch fassen mochte, immer blieben die Tiere gegen ihn ganz sanft und zahm, selbst in der Häutung, während deren sie sehr empfindlich sind. So lassen während dieser Zeit die Hirten ihr Vieh nicht bei den Marmorklippen auf die Weide gehen, denn ein gezielter Biß fällt selbst den stärksten Stier mit Blitzes Kraft.

Vor allem liebte Erio das größte, schönste Tier, das Bruder Otho und ich die Greifin nannten und das, wie wir aus Sagen der Wingertsbauern schlossen, seit alten Zeiten in den Klüften saß. Der Körper der Lanzenottern ist metallisch rot, und häufig sind Schuppen von hellem Messingglanze in sein Muster eingesprengt. Bei dieser Greifin war jedoch der reine und makellose Goldschein ausgeprägt, der sich am Kopfe nach Juwelenart zugleich ins Grüne wandte und an Leuchtkraft steigerte. Im Zorne konnte sie den Hals zum Schilde dehnen, der wie ein goldener Spiegel im Angriff funkelte. Es schien, daß ihr die anderen Respekt erwiesen, denn keine rührte an das Kesselchen, bevor die Goldene ihren Durst gestillt. Dann sahen wir, wie Erio mit ihr scherzte, während sie, wie manchmal Katzen tun, den spitzen Kopf an seinem Röckchen rieb.

Nach diesem trug Lampusa uns zur Vesper auf, zwei Becher des geringen Weines und zwei Scheiben vom dunklen, salzigen Brot.

4

Von der Terrasse schritt man durch eine Glastür in die Bibliothek. In schönen Morgenstunden stand diese Türe weit geöffnet, so daß Bruder Otho an seinem großen Tische wie in einem Teil des Gartens saß. Ich trat stets gern in dieses Zimmer ein, an dessen Decke grüne, laubige Schatten spielten und in dessen Stille das Zirpen der jungen Vögel und das nahe Summen der Bienen drang.

Am Fenster trug eine Staffelei das große Zeichenbrett, und an den Wänden türmten sich bis zur Decke die Bücherreihen auf. Die unterste von ihnen stand in einem hohen Fache, das für die Folianten zugeschnitten war — für den großen »Hortus Plantarum Mundi« und mit der Hand illuminierte Werke, wie man sie nicht mehr druckt. Darüber sprangen die Repositorien vor, die sich durch Schübe noch verbreitern ließen — mit flüchtigen Papieren und vergilbten Herbarienblättern überdeckt. Auch nahmen ihre dunklen Tafeln eine Sammlung von in Stein gepreßten Pflanzen auf, die wir in Kalk- und Kohlengruben ausgemeißelt hatten, dazwischen mancherlei Kristalle, wie man sie als Zierat ausstellt oder auch bei sinnendem Gespräche in den Händen wiegt. Darüber stiegen dann die kleinen Bände an — ein nicht sehr ausgedehnter botanischer Bestand, doch lückenlos in allem, was je über die Lilien erschien. Es strahlte dieser Teil der Bücherei noch in drei allgemeine Zweige aus — in Werke, die sich mit der Gestalt, der Farbe und dem Duft beschäftigten.

Die Bücherreihen setzten sich noch in der kleinen Halle fort, und sie begleiteten die Treppe, die nach oben führte, bis an das Herbarium. Hier standen die Kirchenväter, die Denker und die klassischen Autoren der alten und der neuen Zeit, und vor allem eine Sammlung von Wörterbüchern und Enzyklopädien aller Art. Am Abend traf ich mich mit Bruder Otho in der kleinen Halle, wo im Kamin ein Feuerchen aus dürrem Rebholz flackerte. Wenn über Tag die Arbeit gut gediehen war, dann pflegten wir uns durch jene lässigere Unterhaltung zu zerstreuen, bei der man auf gebahnten Wegen schreitet und Daten und Autoritäten anerkennt. Wir scherzten mit den Quisquilien des Wissens und mit dem seltenen oder das Absurde streifenden Zitat. Bei diesen Spielen kam uns die Legion der stummen, in Leder oder Pergament geschnürten Sklaven gut zupaß.

Meist stieg ich früh in das Herbarium hinauf und setzte dort bis über Mitternacht die Arbeit fort. Bei unserem Einzug hatten wir den Boden gut mit Holz verschalen lassen und lange Reihen von Schränken in ihm aufgestellt. In ihren Fächern häuften sich zu Tausenden die Bündel der Herbarienblätter auf. Sie waren nur zum kleinsten Teil von uns gesammelt und stammten meist von längst verdorrter Hand. Zuweilen, wenn ich eine Pflanze suchte, stieß ich sogar auf von der Zeit gebräunte Bogen, deren verblaßte Signatur vom hohen Meister Linnaeus selbst geschrieben war. In diesen Nacht- und Morgenstunden führte und vermehrte ich auf vielen Zetteln die Register — einmal den großen Namenskatalog der Sammlung und sodann die »Kleine Flora«, in der wir alle Funde im Gebiete der Marina sorgsam verzeichneten. Am andern Tage sah Bruder Otho dann an Hand der Bücher die Zettel ein, und viele wurden von ihm noch bezeichnet und koloriert. So wuchs ein Werk heran, das uns schon im Entstehen viel Genuß bereitete.

Wenn wir zufrieden sind, genügen unseren Sinnen auch die kargsten Spenden dieser Welt. Von jeher hatte ich das Pflanzenreich verehrt und seinen Wundern in vielen Wanderjahren nachgespürt. Und wohl war mir der Augenblick vertraut, in dem der Herzschlag stockt, wenn wir in der Entfaltung die Geheimnisse erahnen, die jedes Samenkorn in sich verbirgt. Dennoch war mir die Pracht des Wachstums niemals näher als auf diesem Boden, den ein Ruch von längst verwelktem Grün durchwitterte.

Bevor ich mich zur Ruhe legte, schritt ich noch ein wenig in seinem schmalen Mittelgange auf und ab. Oft glaubte ich in diesen Mitternächten, die Pflanzen leuchtender und herrlicher als jemals sonst zu sehen. Auch spürte ich von fern den Duft der weißbesternten Dornentäler, den ich im Winterfrühling von Arabia deserta trank, und den Vanillehauch, der in der schattenlosen Glut der Kandelaberwälder den Wanderer erquickt. Dann wieder schlugen sich wie Seiten

eines alten Buches Erinnerungen an Stunden des wilden
Überflusses auf — an heiße Sümpfe, in denen die Victoria
regia blüht, und Meereshaine, wie man sie auf bleichen Stel-
zen weit vor den Palmenküsten im Mittag schwelen sieht.
Doch fehlte mir die Furcht, die uns ergreift, wo immer wir
dem Übermaß des Wachstums gegenüberstehen wie einem
Götterbild, das tausendarmig lockt. Ich fühlte, wie mit unseren Studien zugleich die Kräfte wuchsen, den heißen Le-
bensmächten standzuhalten und sie zu bändigen, so wie man
Rosse am Zügel führt.

Oft graute schon der Morgen, ehe ich mich auf das
schmale Feldbett streckte, das im Herbarium aufgeschlagen
war.

5

Lampusas Küche ragte in den Marmorfels hinein. Dergleichen Höhlen boten in alten Zeiten den Hirten Schutz und
Unterkunft und wurden später gleich Zyklopenkammern in
die Gehöfte eingebaut. Schon früh, wenn sie das Morgen-
süppchen für Erio kochte, sah man die Alte am Feuer stehen. Dem Herdraum schlossen sich noch tiefere Gewölbe an,
in denen es nach Milch, nach Früchten und ausgetropften
Weinen roch. Ich trat nur selten in diesen Teil der Rautenklause ein, da mir Lampusas Nähe ein beklommenes Gefühl
erweckte, das ich gern vermied. Dafür war Erio hier mit jedem Winkelchen vertraut.

Auch Bruder Otho sah ich oftmals bei der Alten am Feuer

18

stehen. Ihm war das Glück wohl zu verdanken, das mir mit Erio, dem Kind der Liebe von Silvia, Lampusas Tochter, zuteil geworden war. Wir taten damals bei den Purpurreitern Dienst im Feldzug, der den freien Völkern von Alta Plana galt und der dann scheiterte. Oft, wenn wir zu den Pässen ritten, sahen wir Lampusa vor ihrer Hütte stehen und neben ihr die schlanke Silvia im roten Kopftuch und im roten Rock. Bruder Otho war neben mir, als ich die Nelke, die Silvia aus ihrem Haar genommen und in den Weg geworfen hatte, aus dem Staube hob, und warnte mich im Weiterreiten vor der alten und vor der jungen Hexe — spöttisch, doch mit besorgtem Unterton. Noch mehr verdroß mich das Lachen, mit dem Lampusa mich gemustert hatte und das ich als schamlos kupplerisch empfand. Und doch ging ich in ihrer Hütte bald ein und aus.

Als wir nach unserem Abschied an die Marina wiederkehrten und in die Rautenklause zogen, erfuhren wir von der Geburt des Kindes und auch davon, daß Silvia es zurückgelassen hatte und mit fremdem Volk davongegangen war. Die Nachricht kam mir ungelegen — vor allem, da sie mich am Beginne eines Abschnitts traf, der nach den Plagen der Kampagne den stillen Studien vorbehalten war.

Daher erteilte ich Bruder Otho Vollmacht, Lampusa aufzusuchen, um mit ihr zu sprechen und ihr zuzubilligen, was ihm angemessen schien. Wie sehr erstaunte ich indessen, als ich erfuhr, daß er das Kind und sie sogleich in unseren Haushalt aufgenommen hatte; und doch erwies sich dieser Schritt sehr bald als für uns alle segensreich. Und wie man eine rechte Handlung insonderheit daran erkennt, daß in ihr auch das Vergangene sich rundet, so leuchtete auch Silvias Liebe mir in einem neuen Licht. Ich erkannte, daß ich sie und ihre Mutter mit Vorurteil betrachtet und daß ich sie, weil ich sie leicht gefunden, auch allzuleicht behandelt hatte, wie man den Edelstein, der offen am Wege leuchtet, für Glas ansieht. Und doch kommt alles Köstliche uns nur durch Zufall zu — das Beste ist umsonst.

Freilich bedurfte es, die Dinge so ins Lot zu bringen, der Unbefangenheit, die Bruder Otho eigentümlich war. Sein Grundsatz war es, die Menschen, die sich uns näherten, wie seltene Funde zu behandeln, die man auf einer Wanderung entdeckt. Er nannte die Menschen gern die Optimaten, um anzudeuten, daß *alle* zum eingeborenen Adel dieser Welt zu zählen sind und daß ein jeder von ihnen uns das Höchste spenden kann. Er erfaßte sie als Gefäße des Wunderbaren und erkannte ihnen als hohen Bildern Fürstenrechte zu. Und wirklich sah ich alle, die ihm nahe kamen, sich entfalten wie Pflanzen, die aus dem Winterschlaf erwachen — nicht daß sie besser wurden, doch sie wurden mehr sie selbst.

Lampusa nahm sich gleich nach ihrem Einzug der Wirtschaft an. Die Arbeit ging ihr leicht vonstatten, und auch im Garten hatte sie keine dürre Hand. Während Bruder Otho und ich streng nach der Regel pflanzten, verscharrte sie die Samen flüchtig und ließ das Unkraut wuchern, wie es ihm gefiel. Und doch zog sie mit leichter Mühe das Dreifache von unseren Saaten und von unserer Frucht. Oft sah ich, wie sie spöttisch lächelnd auf unseren Beeten die ovalen Täfelchen aus Porzellan betrachtete, auf denen Art und Gattung zu lesen war, von Bruder Otho in feiner Etikettenschrift gemalt.

Dabei entblößte sie wie einen Hauer den letzten großen Schneidezahn, der ihr geblieben war.

Obwohl ich sie nach Erios Weise Altmutter nannte, sprach sie zu mir fast nur von Wirtschaftsdingen, und oft recht närrisch, wie Schaffnerinnen tun. Silvias Name fiel niemals zwischen uns. Trotzdem sah ich es ungern, daß Lauretta am andern Abend nach jener Nacht am Walle mich abzuholen kam. Und dennoch erwies sich gerade hier die Alte besonders aufgeräumt und holte eilig Wein, Morsellen und süße Kuchen zum Empfang.

An Erio empfand ich den natürlichen Genuß der Vaterschaft so wie den geistigen der Adoption. Wir liebten seinen stillen, aufmerksamen Sinn. Wie alle Kinder die Geschäfte nachzuahmen pflegen, die sie in ihrer kleinen Welt erblicken, so wandte er sich früh den Pflanzen zu. Oft sahen wir ihn lange auf der Terrasse sitzen, um eine Lilie zu betrachten, die vor der Entfaltung stand, und wenn sie sich geöffnet hatte, eilte er in die Bibliothek, um Bruder Otho mit der Nachricht zu erfreuen. Desgleichen stand er in der Frühe gern vor dem Marmorbecken, in dem wir Wasserrosen aus Zipangu zogen, deren Blütenhüllen der erste Sonnenstrahl mit einem zarten Laute sprengt. Auch im Herbarium hatte ich ein Stühlchen für ihn stehen — er saß dort oft und schaute mir bei der Arbeit zu. Wenn ich ihn still an meiner Seite spürte, fühlte ich mich erquickt, als trügen durch die tiefe, heitere Lebensflamme, die in dem kleinen Körper brannte, die Dinge einen neuen Schein. Mir war, als ob die Tiere seine Nähe suchten, denn ich sah immer, wenn ich ihn im Garten traf, die roten Käfer um ihn fliegen, die beim

Volke die Friggahähnchen heißen; sie liefen über seine Hände und umspielten ihm das Haar. Sehr seltsam war auch, daß die Lanzenottern auf Lampusas Ruf das Kesselchen im glühenden Geflecht umringten, während sie bei Erio die Figur der Strahlenscheibe bildeten. Bruder Otho hatte das zuerst bemerkt.

So war es denn gekommen, daß unser Leben sich von den Plänen, die wir gesponnen hatten, unterschied. Bald merkten wir, daß dieser Unterschied der Arbeit günstig war.

6

Wir waren mit dem Plan gekommen, uns von Grund auf mit den Pflanzen zu beschäftigen, und fingen daher mit der altbewährten Ordnung des Geistes durch Atmung und Ernährung an. Wie alle Dinge dieser Erde wollen auch die Pflanzen zu uns sprechen, doch bedarf es des klaren Sinnes, um ihre Sprache zu verstehen. Wenngleich in ihrem Keimen, Blühen und Vergehen ein Trug sich birgt, dem kein Erschaffener entrinnt, ist doch sehr wohl zu ahnen, was unveränderlich im Schreine der Erscheinung eingeschlossen ist. Die Kunst, sich so den Blick zu schärfen, nannte Bruder Otho »die Zeit absaugen« — wenngleich er meinte, daß die reine Leere diesseits des Todes unerreichbar sei.

Nachdem wir eingezogen waren, bemerkten wir, daß unser Thema, beinahe gegen unseren Willen, sich erweiterte. Vielleicht war es die starke Luft der Rautenklause, die unserem Denken eine neue Richtung gab, gleichwie im reinen

Sauerstoff die Flamme steiler und heller brennt. Ich merkte das bereits nach kurzen Wochen daran, daß die Gegenstände sich veränderten — und die Veränderung nahm ich zunächst als Mangel wahr, insofern als die Sprache mich nicht mehr befriedigte.

Eines Morgens, als ich von der Terrasse aus auf die Marina blickte, erschienen ihre Wasser mir tiefer und leuchtender, als ob ich sie zum ersten Male mit ungetrübtem Sinn betrachtete. Im gleichen Augenblicke fühlte ich, fast schmerzhaft, daß das Wort von den Erscheinungen sich löste, wie die Sehne vom allzu straff gespannten Bogen springt. Ich hatte ein Stückchen vom Irisschleier dieser Welt gesehen, und von Stund an leistete die Zunge mir nicht mehr den gewohnten Dienst. Doch zog zugleich ein neues Wachsein in mich ein. Wie Kinder, wenn das Licht sich aus dem Inneren ihrer Augen nach außen wendet, mit den Händen tastend greifen, so suchte ich nach Worten und nach Bildern, um den neuen Glanz der Dinge zu erfassen, der mich blendete. Ich hatte nie zuvor geahnt, daß Sprechen solche Qual bereiten kann, und dennoch sehnte ich mich nach dem unbefangeneren Leben nicht zurück. Wenn wir wähnen, daß wir eines Tages fliegen könnten, dann ist der unbeholfene Sprung uns teurer als die Sicherheit auf vorgebahntem Weg. Daraus erklärt sich wohl auch ein Gefühl des Schwindels, das mich oft bei diesem Tun ergriff.

Leicht kommt es, daß auf unbekannten Bahnen uns das Maß verlorengeht. Es war ein Glück, daß Bruder Otho mich begleitete und daß er behutsam mit mir vorwärtsschritt. Oft, wenn ich ein Wort ergründet hatte, eilte ich, die Feder in der

Hand, zu ihm hinunter, und oft stieg er mit gleicher Botschaft in das Herbarium herauf. Auch liebten wir, Gebilde zu erzeugen, die wir Modelle nannten — wir schrieben in leichten Metren drei, vier Sätze auf ein Zettelchen. In ihnen galt es, einen Splitter vom Mosaik der Welt zu fassen, so wie man Steine in Metalle faßt. Auch bei den Modellen waren wir von den Pflanzen ausgegangen und setzten immer weiter daran an. Auf diese Weise beschrieben wir die Dinge und die Verwandlungen, vom Sandkorn bis zur Marmorklippe und von der flüchtigen Sekunde bis zur Jahreszeit. Am Abend steckten wir uns diese Zettel zu, und wenn wir sie gelesen hatten, verbrannten wir sie im Kamin.

Bald spürten wir, wie uns das Leben förderte und wie uns eine neue Sicherheit ergriff. Das Wort ist König und Zauberer zugleich. Wir gingen vom hohen Beispiel des Linnaeus aus, der mit dem Marschallstab des Wortes in das Chaos der Tier- und Pflanzenwelt getreten war. Und wunderbarer als alle Reiche, die das Schwert erstritt, währt seine Herrschaft über Blütenwiesen und über die Legionen des Gewürms.

Nach seinem Vorbild trieb auch uns die Ahnung, daß in den Elementen Ordnung walte, denn tief fühlt ja der Mensch den Trieb, die Schöpfung mit seinem schwachen Geiste nachzubilden, so wie der Vogel den Trieb zum Nesterbauen hegt. Was unsere Mühen dann überreich belohnte, das war die Einsicht, daß Maß und Regel in den Zufall und in die Wirren dieser Erde unvergänglich eingebettet sind. Im Steigen nähern wir uns dem Geheimnis, das der Staub verbirgt. Mit jedem Schritte, den wir im Gebirg gewinnen, schwindet das Zufallsmuster des Horizontes, und wenn wir hoch genug gestiegen sind, umschließt uns überall, wo wir auch stehen, der reine Ring, der uns der Ewigkeit verlobt.

Wohl blieb es Lehrlingsarbeit und Buchstabieren, was wir so verrichteten. Und doch empfanden wir Gewinn an Heiterkeit, wie jeder, der nicht am Gemeinen haften bleibt. Das Land um die Marina verlor das Blendende und trat doch klarer, trat more geometrico hervor. Die Tage flossen, wie unter hohen Wehren, schneller und kräftiger dahin. Zuweilen, wenn der Westwind wehte, spürten wir eine Ahnung vom Genuß der schattenlosen Fröhlichkeit.

Vor allem aber verloren wir ein wenig von jener Furcht, die uns beängstigt und wie Nebel, die aus den Sümpfen steigen, den Sinn verwirrt. Wie kam es, daß wir die Arbeit nicht im Stiche ließen, als der Oberförster in unserem Gebiet an Macht gewann und als der Schrecken sich verbreitete? Wir hatten eine Ahnung der Heiterkeit gewonnen, vor deren Glanze die Truggestalten sich verflüchtigen.

7

Der Oberförster war uns seit langem als Alter Herr der Mauretania bekannt. Wir hatten ihn auf den Konventen oft gesehen und manche Nacht mit ihm beim Spiel gesessen und gezecht. Er zählte zu den Gestalten, die bei den Mauretaniern zugleich als große Herren angesehen und als ein wenig ridikül empfunden werden — so wie man etwa einen alten Oberst der Landwehrkavallerie, der hin und wieder von seinen Gütern kommt, beim Regiment empfängt. Er prägte sich dem Gedächtnis ein, schon weil sein grüner, mit goldenen Ilexblättern bestickter Frack die Blicke auf ihn zog.

Sein Reichtum galt als ungeheuer, und auf den Festen, die er in seinem Stadthaus feierte, regierte Überfluß. Es wurde dort nach alter Sitte derb gegessen und getrunken, und die Eichenplatte des großen Spieltischs bog sich unter goldener Last. Auch waren die asiatischen Partien, die er den Adepten in seinen kleinen Villen gab, berühmt. Ich hatte oft Gelegenheit, ihn nah zu sehen, und mich berührte ein Hauch von alter Macht, der ihn von seinen Wäldern her umwitterte. Damals empfand ich auch das Starre an seinem Wesen kaum als störend, denn alle Mauretanier nehmen im Lauf der Zeit den automatischen Charakter an. Vor allem in den Blicken tritt dieser Zug hervor. So lag auch in den Augen des Oberförsters, besonders wenn er lachte, der Schimmer einer fürchterlichen Jovialität. Sie waren, wie bei alten Trinkern, von einem roten Hauche überflammt, doch lag in ihnen zugleich ein Ausdruck von List und unerschütterlicher Kraft — ja zuweilen von Souveränität. Damals war seine Nähe uns angenehm — wir lebten im Übermute und an den Tafeln der Mächtigen der Welt.

Ich hörte später Bruder Otho über unsere Mauretanierzeiten sagen, daß ein Irrtum erst dann zum Fehler würde, wenn man in ihm beharrt. Das Wort erschien mir um so wahrer, wenn ich an die Lage dachte, in der wir uns befanden, als dieser Orden uns an sich zog. Es gibt Epochen des Niederganges, in denen sich die Form verwischt, die innerst dem Leben vorgezeichnet ist. Wenn wir in sie geraten, taumeln wir als Wesen, die des Gleichgewichts ermangeln, hin und her. Wir sinken aus dumpfen Freuden in den dumpfen Schmerz, auch spiegelt ein Bewußtsein des Verlustes, das uns stets belebt, uns Zukunft und Vergangenheit verlockender. Wir weben in abgeschiedenen Zeiten oder in fernen Utopien, indes der Augenblick verfließt.

Sobald wir dieses Mangels innewurden, strebten wir aus ihm hinaus. Wir spürten Sehnsucht nach Präsenz, nach Wirklichkeit und wären in das Eis, das Feuer und den Äther eingedrungen, um uns der Langeweile zu entziehen. Wie immer, wo der Zweifel sich mit Fülle paart, bekehrten wir uns zur Gewalt — und ist nicht sie das ewige Pendel, das die Zeiger vorwärtstreibt, sei es bei Tage, sei es in der Nacht? Also begannen wir, von Macht und Übermacht zu träumen und von den Formen, die sich kühn geordnet im tödlichen Gefecht des Lebens aufeinander zubewegen, sei es zum Untergange, sei es zum Triumph. Und wir studierten sie mit Lust, wie man die Ätzungen betrachtet, die eine Säure auf den dunklen Spiegeln geschliffener Metalle niederschlägt. Bei solcher Neigung war es unvermeidlich, daß Mauretanier sich uns näherten. Wir wurden durch den Capitano, der den großen Aufstand in den Iberischen Provinzen erledigt hatte, eingeführt.

Wer die Geschichte der geheimen Orden kennt, der weiß, daß sich ihr Umfang schwierig schätzen läßt. Desgleichen ist die Fruchtbarkeit bekannt, mit der sie Zweige und Kolonien bilden, so daß man, wenn man ihren Spuren folgt, sich bald in einem Labyrinth verliert. Das traf auch für die Mauretanier zu. Besonders seltsam war es für den Neuling, wenn er in ihren Räumen Angehörige von Gruppen, die sich tödlich haßten, im friedlichen Gespräche sah. Zu den Zielen ihrer Köpfe zählte die artistische Behandlung der Geschäfte dieser Welt. Sie verlangten, daß die Macht ganz ohne Leidenschaft und göttergleich gehandhabt würde, und entsprechend sandten ihre Schulen einen Schlag von klaren, freien und stets fürchterlichen Geistern aus. Gleichviel, ob sie innerhalb des Aufruhrs oder an der Ordnung tätig waren — wo sie siegten, siegten sie als Mauretanier, und das stolze »Semper victrix« dieses Ordens galt nicht seinen Gliedern, sondern seinem Haupte, der Doktrin. Mitten in der Zeit und ihren wilden Läufen stand er unerschütterlich, und in seinen Residenzen und Palästen setzte man den Fuß auf festen Grund.

Doch es war nicht der Genuß der Ruhe, was uns gerne dort verweilen ließ. Wenn der Mensch den Halt verliert, beginnt die Furcht ihn zu regieren, und in ihren Wirbeln treibt er blind dahin. Bei den Mauretaniern aber herrschte unberührte Stille wie im Zentrum des Zyklons. Wenn man in den Abgrund stürzt, soll man die Dinge in dem letzten Grad der Klarheit wie durch überschärfte Gläser sehen. Diesen Blick, doch ohne Furcht, gewann man in der Luft der Mauretania, die von Grund auf böse war. Gerade wenn der Schrecken herrschte, nahmen die Kühle der Gedanken und die geistige Entfernung zu. Bei den Katastrophen herrschte gute Laune, und man pflegte über sie zu scherzen wie die Pächter einer Spielbank über die Verluste ihrer Klientel.

Damals wurde es mir deutlich, daß die Panik, deren Schatten immer über unseren großen Städten lagern, ihr Pendant im kühnen Übermut der wenigen besitzt, die gleich Adlern über dumpfem Leiden kreisen. Einmal, als wir mit dem Capitano tranken, blickte er in den betauten Kelch wie in ein Glas, in dem vergangene Zeiten sich erschließen, und er meinte träumend: »Kein Glas Sekt war köstlicher als jenes, das man uns an die Maschinen reichte in der Nacht, da wir Sagunt zu Asche brannten.« Und wir dachten: »Lieber noch mit diesem stürzen, als mit jenen leben, die die Furcht im Staub zu kriechen zwingt.«

Doch ich schweife ab. Bei den Mauretaniern konnte man die Spiele lernen, die den Geist, den nichts mehr bindet und der selbst des Spottes müde wurde, noch erfreuen. Bei ihnen schmolz die Welt zur Karte ein, wie man sie für Amateure sticht, mit Zirkelchen und blanken Instrumenten, die man mit Genuß berührt. Daher schien es sonderbar, daß man in diesem hellen, schattenlosen und abstraktesten der Räume auf Figuren wie den Oberförster stieß. Dennoch werden immer, wenn der freie Geist sich Herrschaftssitze gründet, auch die Autochthonen sich ihm zugesellen, wie die Schlange zu den offenen Feuern kriecht. Sie sind die alten Kenner der Macht und sehen eine neue Stunde tagen, die Tyrannis wieder aufzurichten, die seit Anbeginn in ihrem Herzen lebt. Dann entstehen in den großen Orden die geheimen Gänge und Gewölbe, deren Führung kein Historiker errät. Dann entstehen auch die feinsten Kämpfe, die im Inneren der Macht entbrennen, Kämpfe zwischen Bildern und Gedanken, Kämpfe zwischen den Idolen und dem Geist.

In solchen Zwisten mußte mancher schon erfahren, wo die List der Erde ihren Ursprung hat. So war es auch mir ergangen, als ich, um nach dem verschollenen Fortunio zu suchen, in das Jagdgebiet des Oberförsters eingedrungen war.

Seit jenen Tagen kannte ich die Grenzen, die dem Übermut gezogen sind, und vermied, den dunklen Saum der Forsten zu betreten, die der Alte seinen »Teutoburger Wald« zu nennen liebte, wie er überhaupt in vorgespielter, schlingenreicher Biederkeit ein Meister war.

8

Als ich nach Fortunio suchte, war ich in den Nordrand dieser Wälder eingedrungen, während unsere Rautenklause unweit ihres Südpunkts lag, der das Burgundische berührt. Bei unserer Rückkehr fanden wir die alte Ordnung an der Marina nur gleich einem Schatten vor. Bis dahin hatte sie fast seit Carolus' Zeiten unversehrt gewaltet, denn ob fremde Herren kamen oder gingen, immer blieb das Volk, das dort die Reben zieht, bei Sitte und Gesetz. Auch ließen Reichtum und Köstlichkeit des Bodens ein jedes Regiment sich bald zur Milde wenden, ob es auch hart begann. So wirkt die Schönheit auf die Macht.

Der Krieg vor Alta Plana aber, den man führte, wie man gegen Türken kämpft, schnitt tiefer ein. Er heerte gleich einem Frost, der in den Bäumen das Kernholz sprengt und dessen Wirkung oft erst nach Jahren sichtbar wird. Vorerst ging an der Marina das Leben im Kreislauf weiter; es war das alte, und war zugleich das alte nicht. Zuweilen, wenn wir auf der Terrasse standen und auf den Blütenkranz der Gärten blickten, verspürten wir den Hauch versteckter Müdigkeit und Anarchie. Und gerade dann berührte die Schönheit dieses Landes uns bis zum Schmerz. So leuchten, bevor die Sonne scheidet, die Lebensfarben noch gewaltig auf.

In diesen ersten Zeiten hörten wir vom Oberförster kaum. Doch seltsam war es, wie er im gleichen Maße, in dem die Schwächung zunahm und die Wirklichkeit entschwand, sich näherte. Zunächst vernahm man nur Gerüchte, wie eine Seuche, die in fernen Häfen wütet, sich dunkel anzukünden pflegt. Sodann verbreiteten sich Meldungen von nahen Übergriffen und Gewaltsamkeiten, die von Mund zu Munde gingen, und endlich geschahen solche Taten ganz unverhüllt und offenbar. Wie im Gebirge ein dichter Nebel die Wetter kündet, ging dem Oberförster eine Wolke von Furcht voraus. Die Furcht verhüllte ihn, und ich bin sicher, daß darin seine Kraft weit mehr als in ihm selbst zu suchen war. Er konnte erst wirken, wenn die Dinge aus sich selbst heraus ins Wanken kamen — dann aber lagen seine Wälder günstig für den Zugriff auf das Land.

Wenn man die Höhe der Marmorklippe erstieg, war das Gebiet, darin er die Gewalt erstrebte, in seinem vollen Umfang einzusehen. Um auf die Zinne zu gelangen, pflegten wir die schmale Treppe zu erklimmen, die bei Lampusas Küche in den Fels geschlagen war. Die Stufen waren vom Regen ausgewaschen und führten auf eine vorgeschobene Platte, von der man weithin in die Runde sah. Hier weilten wir manche Sonnenstunde, wenn die Klippen in bunten Lichtern strahlten, denn wo am blendend weißen Fels die Sickerwässer nagten, da waren rote und falbe Fahnen in ihn eingesprengt. In mächtigen Behängen fiel das dunkle Efeulaub von ihm herab, und in den feuchten Schrunden funkelten die Silberblätter der Lunaria.

Beim Aufstieg streifte unser Fuß die roten Brombeerranken und schreckte die Perlenechsen auf, die sich grünleuchtend auf die Zinnen flüchteten. Dort, wo der fette, mit blauem Enzian gesternte Rasen überhing, waren von Kristallen gesäumte Drusen in den Fels gebettet, in deren Höhlen die Käuzchen träumend blinzelten. Auch nisteten die schnellen rostbraunen Falken dort; wir schritten so nah an ihrer Brut vorbei, daß wir die Nüstern in ihren Schnäbeln sahen, die eine feine Haut gleich blauem Wachse überzog.

Hier auf der Zinne war die Luft erquickender als unten im Kessel, wo die Reben im Glaste zitterten. Zuweilen preßte die Hitze einen Windschwall hoch, der in den Schrunden sich melodisch wie in Orgelpfeifen fing und Spuren von Rosen, Mandeln und Melisse mit sich trug. Von unserem Felsensitze sahen wir das Dach der Rautenklause nun tief unter uns. Im Süden, jenseits der Marina, ragte im Schutze seiner Gletschergürtel das freie Bergland von Alta Plana auf. Oft waren seine Gipfel vom Dunst, der aus dem Wasser stieg, verhüllt, dann wieder war die Luft so rein, daß wir die Zirbelhölzer unterschieden, die dort bis hoch in die Gerölle vorgeschoben sind. An solchen Tagen spürten wir den Föhn und löschten im Haus die Feuer über Nacht.

Oft ruhte unser Blick auch auf den Inseln der Marina, die wir im Scherz die Hesperiden nannten und an deren Ufern Zypressen dunkelten. Im strengsten Winter kennt man auf ihnen weder Frost noch Schnee, die Feigen und Orangen reifen in freier Luft, die Rosen tragen das ganze Jahr. Zur Zeit der Mandel- und der Aprikosenblüte läßt sich das Volk an der Marina gern hinüberrudern; sie schwimmen dann wie helle Blumenblätter auf der blauen Flut. Im Herbst dagegen schifft man sich ein, um dort den Petersfisch zu speisen, der in gewissen Vollmondnächten aus großer Tiefe zur Oberfläche steigt und überreich die Netze füllt. Die Fischer pflegen ihm schweigend nachzustellen, denn sie meinen, daß selbst ein leises Wort ihn schreckt und daß ein Fluch den Fang verdirbt. Auf diesen Fahrten zum Petersfisch ging es stets fröhlich zu; und man versorgte sich mit Wein und Brot, da auf den Inseln die Rebe nicht gedeiht. Es fehlen dort die kühlen Nächte im Herbst, in denen der Tau sich auf die Trauben schlägt und so ihr Feuer durch eine Ahnung des Unterganges an Geist gewinnt.

An solchen Feiertagen mußte man auf die Marina blicken, um zu ahnen, was Leben heißt. Am frühen Morgen drang die Fülle der Geräusche hier herauf — ganz fein und deutlich, wie man Dinge im umgekehrten Fernrohr sieht. Wir hörten die Glocken in den Städten und die Böller, die den bekränzten Schiffen in den Häfen Salut entboten, dann wieder die Gesänge frommer Scharen, die zu den Wunderbildern wallten, und den Ton der Flöten vor einem Hochzeitszug. Wir hörten das Lärmen der Dohlen um die Wetterfahnen, den Hahnenschrei, den Kuckucksruf, den Klang der Hörner, wie sie die Jägerburschen blasen, wenn es zur Reiherbeize aus dem Burgtor geht. So wunderlich klang alles dies herauf, so närrisch, als sei die Welt aus buntem Schelmentuch gestückt — doch auch berauschend wie Wein am frühen Tag.

Tief unten säumte die Marina ein Kranz von kleinen

Städten mit Mauern und Mauertürmen aus Römerzeiten, hoch von altersgrauen Domen und Merowingerschlössern überragt. Dazwischen lagen die fetten Weiler, um deren Firsten Taubenschwärme kreisten, und die von Moos begrünten Mühlen, zu denen man im Herbst die Esel mit den Maltersäcken traben sah. Dann wieder Burgen, auf hohen Felsenspitzen eingenistet, und Klöster, um deren dunkle Mauerringe das Licht in Karpfenteichen wie in Spiegeln funkelte.

Wenn wir vom hohen Sitze auf die Stätten schauten, wie sie der Mensch zum Schutz, zur Lust, zur Nahrung und Verehrung sich errichtet, dann schmolzen die Zeiten vor unserm Auge innig ineinander ein. Und wie aus offenen Schreinen traten die Toten unsichtbar hervor. Sie sind uns immer nah, wo unser Blick voll Liebe auf altbebautem Lande ruht, und wie in Stein und Ackerfurchen ihr Erbe lebt, so waltet ihr treuer Ahnengeist in Feld und Flur.

In unserm Rücken, gegen Norden, grenzte die Campagna an; sie wurde von der Marina durch die Marmorklippen wie durch einen Wall getrennt. Im Frühling dehnte dieser Wiesengürtel sich als ein hoher Blumenteppich aus, in dem die Rinderherden langsam weideten, wie schwimmend im bunten Schaum. Am Mittag ruhten sie im sumpfig kühlen Schatten der Erlen und der Zitterpappeln, die auf der weiten Fläche belaubte Inseln bildeten, aus denen oft der Qualm der Hirtenfeuer stieg. Dort sah man weit verstreut die großen Höfe mit Stall und Scheuer und den hohen Stangen der Brunnen, die die Tränken wässerten.

Im Sommer war es hier sehr heiß und dunstig, und im

Herbst, zur Zeit der Schlangenpaarung, war dieser Strich wie eine Wüstensteppe, einsam und verbrannt. An seinem andern Rande ging er in ein Sumpfland über, in dessen Dickicht kein Zeichen der Besiedlung mehr zu spüren war. Nur Hütten aus grobem Schilf, wie sie zur Entenjagd errichtet werden, ragten hin und wieder am Ufer der dunklen Moorgewässer auf, und in die Erlen waren verdeckte Sitze wie Krähennester eingebaut. Dort herrschte bereits der Oberförster, und bald begann der Boden anzusteigen, in dessen Grund der Hochwald wurzelte. Von seinen Säumen sprangen noch wie lange Sicheln Gehölze, die man im Volk die Hörner nannte, in die Weidestriche vor.

Das war das Reich, das um die Marmorklippen dem Blick sich rundete. Wir sahen von ihrer Höhe das Leben, das auf altem Grunde wohl gezogen und gebunden wie die Rebe sich entfaltete und Früchte trug. Wir sahen auch seine Grenzen: die Gebirge, in denen hohe Freiheit, doch ohne Fülle, bei Barbarenvölkern wohnte, und gegen Mitternacht die Sümpfe und dunklen Gründe, aus denen blutige Tyrannis droht.

Gar oft, wenn wir zusammen auf der Zinne standen, bedachten wir, wieviel dazu gehört, bevor das Korn geerntet und das Brot gebacken wird, und wohl auch dazu, daß der Geist in Sicherheit die Flügel regen kann.

9

In guten Zeiten hatte man der Händel, die von je auf der Campagna spielten, kaum geachtet, und das mit Recht, da sich dergleichen an allen Orten wiederfinden, an denen Hirten und Weidesteppen sind. In jedem Frühjahr gab es Streitigkeiten um das noch ungebrannte Vieh und dann die Kämpfe an den Wasserplätzen, sobald die Trockenheit begann. Auch brachen die großen Stiere, die Ringe in den Nüstern trugen und den Frauen an der Marina bange Träume schufen, in fremde Herden ein und jagten sie den Marmorklippen zu, an deren Fuß man Hörner und Rippen bleichen sah.

Vor allem aber war das Volk der Hirten wild und ungezähmt. Ihr Stand vererbte sich seit Anbeginn vom Vater auf den Sohn, und wenn sie in zerlumptem Kreis um ihre Feuer saßen, mit Waffen in der Faust, wie die Natur sie wachsen läßt, dann sah man wohl, daß sie sich von dem Volke unterschieden, das an den Hängen die Rebe baut. Sie lebten wie in Zeiten, die weder Haus noch Pflug noch Webstuhl kannten und in denen das flüchtige Obdach aufgeschlagen wurde, wie der Zug der Herden es gebot. Dem entsprachen auch ihre Sitten und ein rohes Gefühl für Recht und Billigkeit, das ganz auf die Vergeltung zugeschnitten war. So fachte jeder Totschlag ein langes Rachefeuer an, und es gab Sippen- und Familienfehden, von deren Ursprung längst die Kunde erloschen war und die doch Jahr für Jahr den Blutzoll forderten. Campagnafälle pflegten daher die Juristen an der Marina das grobe, ungereimte Zeug zu nennen, das ihnen unterlief; auch luden sie die Hirten nicht aufs Forum, sondern entsandten Kommissarien in ihr Gebiet. In anderen Bezirken übten die Pächter der Magnaten und Lehensherren, die auf den großen Weidehöfen saßen, die Gerichtsbarkeit. Daneben gab es noch freie Hirten, die reich begütert waren, wie die Bataks und Belovars.

Im Umgang mit dem rauhen Volke lernte man auch das Gute kennen, das ihm eigen war. Dazu gehörte vor allem die Gastfreiheit, die jeden, der sich an seine Feuer setzte, einbezog. Nicht selten konnte man im Kreis der Hirten auch städtische Gesichter sehen, denn allen, die aus der Marina weichen mußten, bot die Campagna eine erste Zuflucht dar. Hier traf man vom Arrest bedrohte Schuldner und Scholaren, denen bei einer Zecherei ein allzu guter Stoß gelungen war, in der Gesellschaft von entsprungenen Mönchen und fahrendem Gelichter an. Auch junge Leute, die nach Freiheit strebten, und Liebespaare, die nach Art der Schäfer leben wollten, suchten gerne die Campagna auf.

Hier wob zu allen Zeiten ein Netz von Heimlichkeiten, das die Grenzen der festen Ordnung überspann. Die Nähe der Campagna, in der das Recht geringer durchgebildet war, schien manchem günstig, dessen Sache sich böse wendete. Die meisten kehrten wieder, nachdem die Zeit und gute Freunde für sie gewirkt, und andere verschwanden in den Wäldern auf Nimmerwiedersehen. Nach Alta Plana aber gewann, was sonst zum Lauf der Dinge zählte, unheilvollen Sinn. Oft dringt in den erschöpften Körper das Verderben durch Wunden, die der Gesunde kaum bemerkt.

Die ersten Zeichen wurden nicht erkannt. Als die Gerüchte von Tumulten aus der Campagna drangen, schien es, daß die alten Blutrachezwiste sich verschärften, doch bald erfuhr man, daß neue und ungewohnte Züge sie verdüsterten. Der Kern von roher Ehre, der die Gewalt gemildert hatte, ging verloren; die reine Untat blieb bestehen. Man hatte den Eindruck, daß in die Sippenbünde aus den Wäldern Späher und Agenten eingedrungen waren, um sich ihrer zu fremden Diensten zu bemächtigen. Auf diese Weise verloren die alten Formen ihren Sinn. So etwa war seit jeher, wenn an einem Kreuzweg ein Leichnam mit vom Dolch gespaltener Zunge aufgefunden wurde, kein Zweifel, daß hier ein Verräter den auf seine Spur gesetzten Rächern erlegen war. Auch nach dem Kriege konnte man auf Tote stoßen, die solche Marke trugen, doch nunmehr wußte jeder, daß es sich um Opfer der reinen Meintat handelte.

Desgleichen hatten die Bünde stets Tribut erhoben, doch hatten ihn die Grundherren gern gezahlt, die ihn zugleich als eine Art von Prämie auf den guten Stand des Weideviehs betrachteten. Nun aber schwollen die Forderungen unerträglich an, und wenn der Pächter den Erpresserbrief am Pfosten leuchten sah, dann hieß es zahlen oder außer Landes gehen. Zwar hatte mancher auch auf Widerstand gesonnen, doch in solchen Fällen war es zur Plünderung gekommen, die offensichtlich nach überlegtem Plane vor sich ging.

Es pflegte dann Gesindel, das unter Führung von Leuten aus den Wäldern stand, nachts vor den Höfen zu erscheinen, und wenn der Einlaß ihm verweigert wurde, schränkte es die Schlösser mit Gewalt. Man nannte diese Banden auch die Feuerwürmer, denn sie gingen die Tore mit Balken, auf denen kleine Lichter glühten, an. Von andern wurde dieser Name dahin ausgedeutet, daß sie nach geglücktem Sturme den Leuten mit Feuer zuzusetzen pflegten, um zu erfahren, wo das Silber verborgen war. Auf alle Fälle hörte man von ihnen das Niederste und Unterste, des Menschen fähig sind. Dazu gehörte, daß sie, um Schrecken zu erregen, die Leichen der Ermordeten in Kisten oder Fässer packten; und solche unheilvolle Sendung wurde dann mit den Frachten, die aus der Campagna kamen, den Angehörigen ins Haus gebracht.

Weitaus bedrohlicher erschien der Umstand, daß alle diese Taten, die das Land erregten und nach dem Richter schrien, kaum noch Sühne fanden — ja es kam so, daß man von ihnen nicht mehr laut zu sprechen wagte und daß die Schwäche ganz offensichtlich wurde, in der das Recht sich gegenüber der Anarchie befand. Zwar hatte man gleich nach Beginn der Plünderungen die Kommissarien entsandt, die von Piketts begleitet waren, doch hatten diese die Campagna bereits in offenem Aufruhr angetroffen, so daß es zur Verhandlung nicht gekommen war. Um nun scharf einzuschneiden, mußten nach der Satzung die Stände einberufen werden, denn in Ländern, die wie die Marina von alter Rechtsgeschichte sind, verläßt man ungern den richterlichen Weg.

Bei diesem Anlaß zeigte sich, daß die von der Campagna auch in der Marina schon vertreten waren, wie denn seit jeher die zurückgekehrten Städter teils eine Klientel von Hirten beibehielten, teils auch durch Blutstrunk sich in die Sippen gliederten. Auch diese Bande folgten nun der Wendung zum Schlimmeren, und dort besonders, wo die Ordnung schon brüchig war.

So blühten dunkle Konsulenten auf, die vor den Schranken das Unrecht schützten, und in den kleinen Hafenschenken nisteten die Bünde sich offen ein. An ihren Tischen konnte man nun Bilder wie draußen an den Weidefeuern sehen — da hockten alte Hirten, die Beine mit rauhem Fell umwunden, neben Offizieren, die seit Alta Plana auf Halbsold saßen; und alles, was zu beiden Seiten der Marmorklippen an mißgelauntem oder auf Veränderung erpichtem Volke lebte, pflegte hier zu zechen und schwärmte wie in dunklen Stabsquartieren aus und ein.

Es konnte die Verwirrung nur vermehren, daß auch Söhne von Notabeln und junge Leute, die die Stunde einer neuen Freiheit gekommen glaubten, an diesem Treiben sich beteiligten. Sie scharten sich um Literaten, die begannen, die Hirtenlieder nachzuahmen, und die man nun, anstatt in wollenen und leinenen Gewändern, in Zottenfellen und mit derben Knüppeln auf dem Corso wandeln sah.

In diesen Kreisen wurde es auch üblich, den Bau der Rebe und des Kornes zu verachten und den Hort der echten, angestammten Sitte im wilden Hirtenland zu sehen. Indessen kennt man die leicht ein wenig qualmigen Ideen, die die Begeisterten entzücken, und man hätte darüber lachen können, wenn es nicht zum offenen Sakrileg gekommen wäre, das jedem, der nicht die Vernunft verloren hatte, ganz unverständlich war.

10

In der Campagna, wo die Weidepfade die Grenzen der Bezirke überschnitten, sah man häufig die kleinen Hirtengötter stehen. Als Hüter der Marken waren sie ungefüge aus Steinen oder altem Eichenholz geschnitzt, und man erriet sie schon von ferne am ranzigen Geruch, den sie verbreiteten. Die hergebrachte Spende nämlich bestand in heißen Güssen von Butter und Gekröseschmer, wie ihn das Opfermesser zur Seite schiebt. Aus diesem Grunde sah man um die Bilder auch stets die schwarzen Narben von Feuerchen im grünen Wiesengrund. Von ihnen hegten die Hirten nach dargebrachter Gabe ein verkohltes Stengelchen, mit dem sie zur Nacht der Sonnenwende den Leib von allem, was trächtig werden sollte von Weib und Vieh, mit einem Male zeichneten.

Wenn wir den Mägden, die vom Melken kamen, an solchem Ort begegneten, dann zogen sie das Kopftuch vors Gesicht, und Bruder Otho, der Freund und Kenner der Gartengötter war, ging nie vorüber, ohne ihnen einen Scherz zu weihen. Auch schrieb er ihnen ein hohes Alter zu und nannte sie Gefährten des Jupiter aus seiner Kinderzeit.

Dann war da noch, unweit des Fillerhornes, ein Vorgehölz aus Trauerweiden, in dem das Bildnis eines Stieres mit roten Nüstern, roter Zunge und rotbemaltem Gliede stand. Der Ort galt als verrufen, und die Kunde grausamer Feste war mit ihm verknüpft.

Wer aber hätte glauben mögen, daß man den Schmalz- und Buttergöttern, die den Kühen die Euter füllten, nun an der Marina zu huldigen begann? Und das geschah in Häusern, wo seit langem über Opfer und Opferdienst gespottet worden war. Dieselben Geister, die sich für stark genug erachtet hatten, die Bande des alten Ahnenglaubens zu zerschneiden, wurden vom Zauber barbarischer Idole unterjocht. Das Bild, das sie in ihrer Blendung boten, war widriger als Trunkenheit, die man am Mittag sieht. Indem sie zu fliegen wähnten und sich dessen rühmten, wühlten sie im Staub.

Ein schlimmes Zeichen lag auch darin, daß die Verwirrung auf die Totenehrung übergriff. Zu allen Zeiten war an der Marina der Stand der Dichter hochberühmt. Sie galten dort als freie Spender, und die Gabe, den Vers zu bilden, wurde als die Quelle der Fülle angesehen. Daß die Rebe blühte und Früchte trug, daß Mensch und Vieh gediehen, die bösen Winde sich zerstreuten und heitre Eintracht in den Herzen wohnte — das alles schrieb man dem Wohllaut zu, wie er in Liedern und Gesängen lebt. Davon war selbst der kleinste Winzer überzeugt, und auch nicht minder davon, daß der Wohllaut die Heilkraft birgt.

So arm war keiner dort, daß nicht das Erste und Beste, das sein Garten an Früchten brachte, in die Denkerhütten und Dichterklausen ging. Dort konnte jeder, der sich berufen fühlte, der Welt im Geist zu dienen, in Muße leben — zwar in Armut, doch ohne Not. Im Hin und Wider jener, die den Acker bauten und das Wort bestellten, galt als Vorbild der alte Satz: »Das Beste geben die Götter uns umsonst.«

Es ist ein Zeichen guter Zeiten, daß in ihnen die Geistesmacht auch sichtbar und gegenwärtig wirkt. Das galt auch hier; im Wechsel der Jahreszeiten, des Götterdienstes und des Menschenlebens war kein Festtag möglich ohne das Gedicht. Vor allem aber stand dem Dichter bei den Totenfeiern, nachdem der Leichnam eingesegnet war, das Amt des Totenrichters zu. Ihm lag es ob, auf das entschwundene Leben einen göttergleichen Blick zu tun und es im Vers zu preisen, so wie ein Taucher aus der Muschel die Perle hebt.

Seit Anbeginn gab es zwei Maße für die Totenehrung, von denen das übliche das Elegeion war. Das Elegeion galt als Spende, die dem rechtlich in Bitterkeit und Freude zugebrachten Leben ziemte, wie es uns Menschen zugemessen wird. Sein Ton war auf die Klage abgestimmt, doch auch voll Sicherheit, wie sie dem Herzen im Leiden Trost gewährt.

Dann aber gab es das Eburnum, das im Altertume den Erlegern der Ungeheuer, die vor der Menschensiedlung in den Sümpfen und Klüften hausten, vorbehalten war. Das klassische Eburnum mußte in höchster, erlauchter Heiterkeit gehalten sein; es hatte in der Admiratio zu enden, während deren aus zerbrochenem Käfig ein schwarzer Adler in die Lüfte stieg. Im Maße, in dem die Zeiten sich milderten, erkannte man das Eburnum auch jenen, die man die Mehrer oder Optimaten nannte, zu. Wer nun zu diesen zählte, dessen war das Volk sich stets bewußt gewesen, obgleich mit der Verfeinerung des Lebens sich auch die Ahnenbilder wandelten.

Nun aber erlebte man zum ersten Male, daß um den Spruch der Totenrichter Streit entstand. Es drangen nämlich mit den Bünden auch die Blutrachefehden der Campagna in die Städte ein. Wie eine Seuche, die noch unberührten Boden findet, schwoll auch hier der Haß gewaltig an. Nachts und mit niederen Waffen drang man aufeinander ein, und das aus keinem anderen Grunde, als weil vor hundert Jahren der Wenzel durch den Jegor erschlagen worden war.

43

Doch was sind Gründe, wenn die Verblendung uns ergreift. Gar bald ging keine Nacht vorüber, in der die Wache nicht auf den Straßen und bei den Quartieren auf Tote stieß, und manchen traf man mit Wunden, die des Schwertes nicht würdig sind — ja selbst mit solchen, mit denen die blinde Wut den schon Gefallenen zerstückt.

In diesen Kämpfen, die zu Menschenjagden, Hinterhalten und Mordbrand führten, verloren die Parteien jedes Maß. Bald hatte man den Eindruck, daß sie sich kaum noch als Menschen sahen, und ihre Sprache durchsetzte sich mit Wörtern, die sonst dem Ungeziefer galten, das ausgerottet, vertilgt und ausgeräuchert werden soll. Den Mord vermochten sie nur auf der Gegenseite zu erkennen, und dennoch war bei ihnen rühmlich, was dort als verächtlich galt. Während ein jeder die anderen Toten kaum für würdig hielt, bei Nacht und ohne Licht verscharrt zu werden, sollte um die seinen das Purpurtuch geschlungen werden, es sollte das Eburnum klingen und der Adler steigen, der das Lebensbild der Helden und Seher zu den Göttern trägt.

Freilich fand keiner von den großen Sängern, und ob sie goldene Lasten boten, zu solcher Schändung sich bereit. Da holten jene denn die Harfenisten, die auf der Kirchweih zum Tanze spielen, und die blinden Zitherschläger, wie sie vor den Triklinien der Freudenhäuser die trunkenen Gäste durch Lieder von der Venusmuschel oder vom Fresser Herkules erfreuen. So waren denn die Kämpen und die Barden einander wert.

Nun weiß man aber, daß das Metron ganz unbestechlich ist. An seine unsichtbaren Säulen und Tore reichen die

Feuer der Zerstörung nicht hinan. Kein Wille dringt in den Wohlklang ein, und daher blieben auch jene nur betrogene Betrüger, die wähnten, daß Opferspenden vom Range des Eburnums käuflich seien. Wir wohnten nur der ersten dieser Totenfeiern bei, und was wir davon erwartet hatten, sahen wir geschehen. Der Mietling, der den hohen, aus leichtem Feuerstoff gefügten Bogen des Gedichtes beschreiten sollte, begann sogleich zu stammeln und verwirrte sich. Dann aber wurde die Sprache ihm geläufig und kehrte sich zu niederen Haß- und Rachejamben, die im Staube züngelten. Bei diesem Schauspiel sahen wir die Menge in den roten Festgewändern, die man zum Eburnum trägt, und auch die Magistrate und den Klerus im Ornat. Sonst herrschte, wenn der Adler aufstieg, Stille, diesmal brach wilder Jubel aus.

Bei diesen Tönen ergriff uns Trauer, und mit uns manchen, denn wir fühlten, daß nun aus der Marina der gute Ahnengeist gewichen war.

11

Es ließen sich noch viele Zeichen nennen, in denen der Niedergang sich äußerte. Sie glichen dem Ausschlag, der erscheint, verschwindet und wiederkehrt. Dazwischen waren auch heitre Tage eingesprengt, in denen alles wie früher schien.

Gerade hierin lag ein meisterhafter Zug des Oberförsters; er gab die Furcht in kleinen Dosen ein, die er allmählich steigerte und deren Ziel die Lähmung des Widerstandes war.

Die Rolle, die er in diesen Wirren, die sehr fein in seinen Wäldern ausgesponnen wurden, spielte, war die der Ordnungsmacht, denn während seine niederen Agenten, die in den Hirtenbünden saßen, den Stoff der Anarchie vermehrten, drangen die Eingeweihten in die Ämter und Magistrate, ja selbst in Klöster ein und wurden dort als starke Geister, die den Pöbel zu Paaren treiben würden, angesehen. Der Oberförster glich einem bösen Arzte, der zunächst das Leiden fördert, um sodann dem Kranken die Schnitte zuzufügen, die er im Sinne hat.

Wohl gab es in den Magistraten Köpfe, die das Spiel durchschauten, doch fehlte ihnen, es zu hindern, die Gewalt. An der Marina hatte man seit jeher fremde Truppen in Sold gehalten, und solange die Dinge in Ordnung waren, war man gut bedient. Als nun die Händel bis an die Ufer drangen, suchte ein jeder die Söldner zu gewinnen, und Biedenhorn, ihr Führer, stieg über Nacht zu hoher Geltung auf. Es konnte ihm wenig daran liegen, auf eine Wendung einzuwirken, die ihm so günstig war; vielmehr begann er, den Schwierigen zu spielen, und hielt die Truppen zurück wie Geld, das man auf Zinsen legt. Er hatte sich mit ihnen in eine alte Festung, den Zwinger, eingeschanzt und lebte dort wie die Maus im Speck. So hatte er im Gewölbe des großen Turmes ein Trinkgemach errichtet, wo er behaglich zechend im Gemäuer saß. Im bunten Glas des Fensterbogens erblickte man sein Wappen, zwei Hörner mit dem Spruche: »De Willekumm / Geiht um!«

In der Klause hauste er, voll jener jovialen List des Nordens, die man leicht unterschätzt, und hörte mit gut gespieltem Kummer die Kläger an. Im Zechen pflegte er sich dann für Recht und Ordnung zu ereifern — doch sah man nie, daß er zum Schlagen kam. Daneben verhandelte er nicht nur mit den Sippenbünden, sondern auch mit den Kapitänen des Oberförsters, die er auf Kosten der Marina in Saus und Braus bewirtete. Mit diesen Waldkapitänen spielte er den Gemeinden einen bösen Streich. Indem er sich hilfsbedürftig stellte, schob er ihnen und ihrem Waldgesindel die Aufsicht über die ländlichen Bezirke zu. Damit begann der Schrecken ganz und gar zu herrschen und nahm die Maske der Ordnung an.

Die Kontingente, die den Kapitänen zur Verfügung standen, waren zunächst gering, auch wurden sie vereinzelt, wie Gendarmerie, ins Feld gebracht. Das galt vor allem für die Jäger, die wir häufig um die Rautenklause streichen sahen und die leider auch in Lampusas Küche vesperten, das Waldgelichter, wie es im Buche steht, klein, blinzelnd und mit dunklen Hängebärten in den zerfressenen Gesichtern; ein Rotwelsch sprechend, das von allen Zungen das Übelste sich angeeignet hatte und wie aus blutigem Kot gebacken war.

Wir fanden sie mit minderen Waffen, mit Schlingen, Garnen und gekrümmten Dolchen, die sie Blutzapfer nannten, ausgerüstet; auch waren sie zumeist ringsum behangen mit niederem Getier. Sie stellten an unserer Marmorklippenstiege den großen Perlenechsen nach und fingen sie auf jene altbekannte Art, bei der man eine feine Schlinge mit Speichel netzt. Die schönen, goldgrünen und leuchtend weiß gesternten Tiere hatten unser Auge oft erfreut, besonders wenn wir

sie im Brombeerlaub erblickten, das herbstlich im Ranken-
werk die Klippen überspann. Die Häute waren bei den wel-
schen Kurtisanen, die der Alte auf seinen Höfen aushielt,
sehr begehrt; auch ließen seine Muscadins und Spintrier sich
daraus Gürtel und feine Futterale fertigen. So wurden diese
grünen Zauberwesen unbarmherzig verfolgt, und schlimme
Grausamkeiten wurden an ihnen ausgeübt. Ja diese Schinder nahmen sich nicht einmal die Mühe, sie zu töten, sondern beraubten sie noch lebend ihrer Haut und ließen sie als
weiße Schemen die Klippen hinunterschießen, an deren Fuß
sie unter Qualen verendeten. Tief ist der Haß, der in den
niederen Herzen dem Schönen gegenüber brennt.

Solche Aasjägerstückchen gaben indessen nur den Vor-
wand, um bei den Höfen und Häusern zu spionieren, ob in
ihnen noch ein Rest von Freiheit lebendig war. Dann wie-
derholten sich die Banditenstreiche, die man schon aus der
Campagna kannte, und die Bewohner wurden bei Nacht und
Nebel abgeführt. Von dort kam keiner wieder, und was wir
im Volk von ihrem Schicksal raunen hörten, erinnerte an die
Kadaver der Perlenechsen, die wir geschunden an den Klippen fanden, und füllte unser Herz mit Traurigkeit.

Dann tauchten auch die Förster auf, die man oft an den
Rebenhängen und auf den Hügeln bei der Arbeit sah. Sie
schienen das Land neu zu vermessen, denn sie ließen Löcher
in den Boden graben und pflanzten Stangen mit Runenzei-
chen und tierischen Symbolen auf. Die Art, in der sie sich in
Feld und Flur bewegten, war noch bestürzender als die der
Jäger, denn sie durchstreiften den altgepflügten Grund wie
Heideland, indem sie weder Weg noch Grenze achteten.

Auch zollten sie den heiligen Bildern nicht den Gruß. Man sah sie das reiche Land durchqueren wie unbestellte und ungeweihte Wüstenei.

Aus solchen Zeichen ließ sich erraten, was von dem Alten, der tief in seinen Wäldern lauerte, noch zu erwarten war. Ihm, der den Pflug, das Korn, die Rebe und die gezähmten Tiere haßte und dem die lichte Siedlung und das offene Menschenwesen zuwider waren, war es um Herrschaft über solche Fülle nicht zu tun. Ihm ging das Herz erst auf, wenn auf den Trümmern der Städte Moos und Efeu grünten und wenn in den geborstenen Kreuzgewölben der Dome die Fledermaus im Mondschein flatterte. Die letzten seiner großen Bäume sollten die Wurzeln an den Ufern der Marina baden, und über ihren Kronen sollte der Silberreiher auf den Schwarzstorch treffen, der aus den Eichenschlägen zum Sumpfe flog. Es sollten in der dunklen Weinbergerde die Eber mit den Hauern wühlen, und auf den Klosterteichen sollten die Biber kreisen, wenn auf verborgenen Pfaden das Wild zur Dämmerung in starken Rudeln an die Tränke zog. Und an den Rändern, wo die Bäume im Sumpf nicht Wurzel schlugen, sollte im frühen Jahr die Schnepfe streichen und spät im Herbst die Drossel an die rote Beere gehen.

12

Auch liebte der Oberförster weder Bauernhöfe noch Dichterklausen noch irgendeinen Ort, wo man besonnen tätig war. Das Beste, was auf seinen Territorien hauste, war noch ein Schlag von rüden Kerlen, deren Lebenslust im

Spüren und im Hetzen ruhte und die dem Alten ergeben waren vom Vater auf den Sohn. Das waren die Weidgerechten, während jene niederen Jäger, die wir an der Marina sahen, aus sonderbaren Dörfern stammten, die der Alte im tiefen Tannicht unterhielt.

Fortunio, der das Reich des Alten noch am besten kannte, hatte mir von ihnen berichtet als von Genisten altersgrauer Hütten — die Mauern aus Lehm und Häckselschilf errichtet und die spitzen Giebel mit fahlem Moos gedeckt. Dort hauste wie in Albenhöhlen in Vogelfreiheit eine dunkle Brut. Wenn dieses Volk auch fahrend war, blieb doch in seinen Nestern und Spelunken immer ein Stamm zurück, so wie im Pfeffertopfe stets der letzte Grund als Würze zurückbehalten wird.

In diese Waldesgründe hatte sich geflüchtet, was je in Kriegen oder Zeiten, in denen der Landfriede ruhte, der Vernichtung entronnen war — so Hunnen, Tataren, Zigeuner, Albigenser und ketzerische Sekten aller Art. Zu diesen hatte sich gesellt, was immer den Profosen und der Henkershand entsprungen war, versprengte Scharen der großen Räuberbanden aus Polen und vom Niederrhein und Weiber, die keine Arbeit leisten als mit der Hand, darauf man sitzt, und die der Büttel aus dem Tore fegt.

Hier schlugen die Magier und die Hexenmeister, die dem Scheiterhaufen entronnen waren, ihre Zauberküchen auf; und bei den Eingeweihten, Venedigern und Alchimisten zählten diese unbekannten Dörfer zu den Horten der Schwarzen Kunst. In Fortunios Händen hatte ich ein Manuskript gesehen, das von dem Rabbi Nilüfer stammte, der, aus Smyrna ausgetrieben, auf seinen Wanderungen auch in den Wäldern zu Gast gewesen war. Man sah aus seiner Schrift, daß sich die Weltgeschichte hier wie in trüben Tümpeln, an deren Ufern Ratten nisten, spiegelte. Hier ruhte der Schlüssel zu manchem ihrer dunklen Fächer; es hieß, daß Meister Villon nach der Vertreibung aus Pérouard in einem dieser Tannichtnester Unterschlupf gefunden hatte, in denen, wie der Stammsitz vieler dunkler Zünfte, auch jener der Coquillards gelegen war. Sie wechselten dann nach Burgund hinüber, doch blieb hier stets ein Zufluchtsort.

Was immer aus der Welt in ihnen untertauchte, das gaben diese Wälder mit Zins und Zinseszins aus ihrem Schoß zurück. Aus ihnen zogen vor allem jene niederen Jäger, die sich erbieten, in Haus und Feld das Ungeziefer zu vertilgen, und wie Nilüfer meinte, war dies die Stätte, darinnen der Pfeifer von Hameln mit den Kindern verschwunden war. Mit diesen Scharen gingen Raub und Händel landaus, landein. Doch stammten aus den Wäldern auch die zierlichen Betrüger, die mit Wagen und Dienerschaft erscheinen und die man selbst an Fürstenhöfen trifft. So floß von hier ein dunkler Blutstrom in die gebahnte Welt. Wo immer Meintat und Neidingswerk geschahen, war einer von den schlimmen Zünften mit dabei — und mit im Reigen, wo auf den Galgenhügeln der Wind die armen Schelme zum Tanz aufführt.

Für alle diese war der Alte der große Boß, dem sie den Saum des roten Jagdrocks küßten oder den Stiefelschaft, wenn er zu Pferde saß. Er wiederum verfuhr mit diesem Volke nach Belieben und ließ zuweilen ein paar Dutzend wie Krammetsvögel in die Bäume knüpfen, wenn es sich allzu üppig zu vermehren schien. Sonst mochte es in seinen Gründen hausen und schmausen, wie es ihm gefiel.

Als Schutzherr der Vagantenheimat war der Alte auch draußen in der Welt von großer, verborgener und weit verzweigter Macht. Wo immer die Gebäude, wie Menschenordnung sie errichtet, brüchig wurden, schoß seine Brut wie Pilzgeflecht hervor. Sie wob und wirkte, wo Knechte dem angestammten Hause die Gefolgschaft weigerten, wo man auf Schiffen im Sturme meuterte, wo man den Schlachtenkönig im Stiche ließ.

Allein der Oberförster war von solchen Kräften gut bedient. Wenn er in seinem Stadthaus die Mauretanier empfing, umgab ihn eine Fülle von Dienerschaft — von grün livrierten Jägern, von Lakaien in rotem Frack und schwarzen Eskarpins, von Hausbeamten und Vertrauten aller Art. Man spürte bei solchen Festen ein wenig von der Gemütlichkeit, wie sie der Alte in seinen Wäldern liebte; die weite Halle war warm und strahlend — nicht wie vom Sonnenlicht, doch wie von Flammen und vom Golde, das in Höhlen glänzt.

Wie in den Tiegeln der Alchimisten der Diamant aus niederer Kohlenglut erstrahlt, so wuchsen in den Waldgenisten zuweilen Weiber von erlesener Schönheit auf. Sie waren, wie jeder in den Wäldern, dem Alten leibeigen, und auf seinen Reisen führte er stets Sänften im Gefolge mit. Wenn er in seinen kleinen Häusern vor den Toren die jungen Mauretanier zu Gaste hatte und guter Laune war, dann kam es vor, daß er die Odalisken zur Schau ausstellte, wie andere seiner Kostbarkeiten auch. Er ließ sie in das Billardzimmer rufen, wo man nach schwerem Mahle beim Ingwertrunk versammelt war, und setzte ihnen dort die Bälle zur Partie. Dann sah man die enthüllten Körper, im roten Lichtschein auf das grüne Tuch gebeugt, sich langsam in den mannigfachen Posen biegen und wenden, die das Spiel verlangt. Aus einen Wäldern hörte man in dieser Hinsicht Dinge, die gröber waren, wenn er nach langer Hetze auf den Fuchs, den Elch, den Bären auf der mit Waffen und Geweihen geschmückten Tenne zechte und gebietend auf dem mit blutbetauten Brüchen besteckten Hochsitz saß.

Daneben dienten solche Weiber ihm als Lockvögel feinster Sorte, wo immer in der Welt er in Geschäfte verwickelt war. Wer sich den trügerischen Blüten, die dem Sumpf entsprossen waren, nahte, verfiel dem Banne, der die Niederung regiert; und schon so manchen sahen wir in unseren Mauretanierzeiten untergehen, dem ein großes Schicksal winkte — denn in solchen Ränken verfängt am ersten sich der hohe Sinn.

Derart war der Bestand beschaffen, der das Gebiet besiedeln sollte, wenn der Alte vollends über die Marina Herr würde. So folgen Stechapfel, Mohn und Bilsenkraut den edlen Früchten, wenn die Gärten vom Feind verwüstet sind. Dann würden statt der Spender von Wein und Brot die fremden Götter auf den Sockeln sich erheben — wie die Diana, die in den Sümpfen zu wilder Fruchtbarkeit entartet war und dort mit traubenförmigen Behängen von goldenen Brüsten prunkte, und wie die Schreckensbilder, die mit Klauen, Hörnern und Zähnen Furcht erregen und Opfer fordern, die der Menschen nicht würdig sind.

Das war der Stand der Dinge im siebten Jahre nach Alta Plana, und auf diesen Feldzug führten wir die Übel, die das Land verdüsterten, zurück. Zwar hatten auch wir beide daran teilgenommen und das Gemetzel vor den Pässen bei den Purpurreitern mitgemacht — doch nur, um unsere Lehenspflicht zu leisten, und in diesem Stande lag es uns ob zu schlagen, nicht aber nachzugrübeln, wo Recht und Unrecht war. Wie man indessen dem Arme leichter als dem Herzen gebieten kann, so lebte unser Sinn bei jenen Völkern, die ihre angestammte Freiheit gegen jede Übermacht verteidigt hatten, und wir erblickten in ihrem Siege mehr als Waffenglück.

Hinzu kam, daß wir auf Alta Plana Gastfreundschaft gewonnen hatten, denn vor den Pässen war der junge Ansgar, der Sohn des Wirtes von der Bodanalp, in unsere Hand gefallen und hatte Geschenke mit uns getauscht. Von der Terrasse sahen wir ganz in der Ferne die Bodanalp als eine blaue Matte, die tief im Meer der Gletscherzacken verborgen war, und der Gedanke, daß auf ihrem Talhof zu jeder Stunde Sitz und Stätte wie für Brüder für uns bereitet war, verlieh uns Sicherheit.

Als wir in unserer Vaterheimat hoch im Norden die Waffen wieder in die Rüstkammer eingeschlossen hatten, erfaßte uns der Sinn nach einem Leben, das von Gewalt gereinigt war, und wir gedachten unserer alten Studien. Wir kamen bei den Mauretaniern um ehrenvollen Abschied ein und wurden mit dem schwarz-rot-schwarzen Bande in die

Feierzunft versetzt. In diesem Orden hoch emporzusteigen, hätte es uns wohl nicht an Mut und Urteilskraft gefehlt; doch war die Gabe uns versagt geblieben, auf das Leiden der Schwachen und Namenlosen herabzusehen, wie man vom Senatorensitze in die Arena blickt. Wie aber, wenn die Schwachen das Gesetz verkennen und in der Verblendung mit eigener Hand die Riegel öffnen, die zu ihrem Schutze geschlossen sind? Wir konnten auch die Mauretanier nicht durchaus tadeln, denn tief war Recht mit Unrecht nun vermischt; die Festen wankten, und die Zeit war für die Fürchterlichen reif. Die Menschenordnung gleicht dem Kosmos darin, daß sie von Zeit zu Zeiten, um sich von neuem zu gebären, ins Feuer tauchen muß.

So taten wir wohl recht, den Händeln auszuweichen, bei denen Ruhm nicht zu gewinnen war, und friedlich an die Marina zurückzukehren, um an den leuchtenden Gestaden uns den Blumen zuzuwenden, in deren flüchtig bunten Zeichen das Unveränderliche ruht wie in geheimer Bilderschrift und die den Uhren gleichen, auf denen stets die rechte Stunde zu lesen ist.

Kaum waren aber Haus und Garten gerichtet und die Arbeit so gediehen, daß ihre ersten Früchte winkten, da glomm bereits der Mordbrandschimmer an der Campagnafront der Marmorklippen auf. Als dann der Trubel auf die Marina übergriff, da waren wir gezwungen, Nachrichten einzuziehen, um mit der Art und Größe der Bedrohung vertraut zu sein.

Aus der Campagna hatten wir den alten Belovar, den wir im Scherze den Arnauten nannten und der häufig in Lampusas Küche zu treffen war. Er kam mit Kräutern und mit seltenen Wurzeln, die seine Frauen aus der fetten Erde der Weidegründe gruben und die Lampusa für ihre Tränke und Mixturen trocknete. Aus diesem Grunde hatten wir uns mit ihm angefreundet und auf der Bank im Küchenvorhof manche Kanne Wein mit ihm geleert. Er war sehr zuverlässig in bezug auf alle Namen, mit denen das Volk die Blumen nennt, von denen es eine große Anzahl zu unterscheiden weiß; und wir horchten ihn gerne, um unsere Synonymik zu bereichern, darüber aus. Auch kannte er Standorte rarer Arten — wie der Riemenzunge, die in den Büschen mit Bocksgeruch erblüht, des Ohnhorns, dessen Lippe in Form des Menschenleibes gebildet ist, und einer Ragwurz, deren Blüte dem Pantherauge gleicht. Wir ließen uns daher oft von ihm begleiten, wenn wir jenseits der Marmorklippen sammelten. Er wußte dort bis zu den Wäldern Weg und Steg; vor allem aber erwies sich, als die Hirten aufsässig wurden, sein Geleit als sicherer Schutz.

In diesem Alten verkörperte sich das Beste, was die Weidegründe zu bieten hatten — freilich auf andre Art, als sie die Muscadins erträumten, die in dem Hirtenvolke den idealen Menschen entdeckt zu haben glaubten, den sie in rosafarbenen Gedichten feierten. Der alte Belovar war siebzigjährig, von hoher, hagerer Gestalt, mit weißem Barte, der zu dem schwarzen Haupthaar in sonderbarem Gegensatze stand. An seinem Antlitz fielen vor allem die dunklen Augen auf, die weithin spähend mit Falkenschärfe den Grund beherrschten, doch die im Zorne nach Wolfsart leuchteten. Der Alte trug goldene Ringe in den Ohren, auch schmückten ihn ein rotes Kopftuch und ein rotes Gürtelband, das Knauf und Spitze eines Dolches sehen ließ. Ins Holz des Griffes dieser alten Waffe waren elf Kerben eingeschnitten und mit Färberröte nachgebeizt. Als wir ihn kennenlernten, hatte der Alte eben seine dritte Frau genommen, ein Weibchen von sechzehn Jahren, das er trefflich in Ordnung hielt und wohl auch prügelte, wenn er betrunken war. Wenn er auf die Blutrachefehden zu sprechen kam, begannen seine Augen Glanz zu sprühen, und wir begriffen, daß das Herz des Feindes ihn anzog wie ein übermächtiger Magnet, solange es lebendig schlug; und daß der Nachglanz dieser Rachetaten ihn zu einem Sänger machte, wie es deren manche auf der Campagna gab. Wenn dort am Feuer zu Ehren der Hirtengötter getrunken wurde, geschah es häufig, daß einer aus der Runde sich erhob und dann in eingegebener Rede den Totschlag rühmte, den er am Feind vollzog.

Im Lauf der Zeit gewöhnten wir uns an den Alten und sahen ihn gerne, so wie man einen treuen Hund wohl leiden mag, obgleich die Wolfsnatur noch in ihm glüht. Wenn auch das wilde Erdfeuer in ihm lohte, lebte doch nichts Schmähliches in ihm, und daher waren die dunklen Mächte, die aus den Wäldern in die Campagna drangen, ihm verhaßt. Wir merkten bald, daß dieses rohe Leben nicht ohne Tugend war; es brannte auch im Guten heißer, als man es in den Städten kennt. Die Freundschaft war ihm mehr als ein Gefühl; sie flammte nicht minder unbedenklich und unbezähmbar als der Haß. Auch wir bekamen das zu spüren, als Bruder Otho in den ersten Jahren einen bösen Handel, in den die Konsulenten der Marina den Alten verwickelt hatten, vor dem Forum zum Besten wendete. Da begann er, uns in sein Herz zu schließen, und seine Augen leuchteten, wenn er uns nur von ferne sah.

Bald mußten wir uns hüten, in seiner Nähe einen Wunsch zu äußern, denn er wäre ins Nest des Greifen eingedrungen, um uns durch seine Jungen zu erfreuen. Wir konnten zu jeder Stunde über ihn verfügen wie über eine gute Waffe, die man in Händen hält; und wir erkannten in ihm die Macht, die wir genießen, wenn sich ein anderer völlig uns zu eigen gibt, und die im Laufe der Gesittung verlorengeht.

Allein durch diese Freundschaft fühlten wir uns gegen die Gefahren, die von der Campagna drohten, gut gedeckt. Wie manche Nacht, da wir im Bücherzimmer und im Herbarium still an der Arbeit saßen, flammte der Mordbrandschimmer am Klippenrande auf. Oft lagen die Dinge uns so nahe, daß, wenn der Nordwind wehte, ihr Klang zu uns herüberdrang. Wir hörten die Rammbockstöße an das Hoftor schlagen und das Klagen des Viehes, das in Flammenställen stand. Dann trug der Wind ganz leise das Gewirr von Stimmen herüber und den Ton der Glocken, die in den kleinen Hauskapellen läuteten — und wenn dies alles jäh verstummte, lauschte das Ohr noch lange in die Nacht.

Doch wußten wir, daß unserer Rautenklause kein Unheil drohte, solange noch der alte Hirte mit seiner wilden Sippe in der Steppe lag.

14

An der Marinafront der Marmorklippen hingegen durften wir auf Beistand eines Christenmönches zählen, des Paters Lampros aus dem Kloster der Maria Lunaris, die man im Volke als die Falcifera verehrt. In diesen beiden Männern, dem Hirten und dem Mönche, trat die Verschiedenheit zutage, wie sie der Boden auf die Menschen nicht minder als auf die Pflanzen übt. Im alten Bluträcher lebten die Weidegründe, in die noch nie das Eisen einer Pflugschar eingeschnitten hatte, wie in dem Priester die Weinbergskrume, die in den vielen hundert Jahren durch die Sorge der Menschenhand so fein wie Sanduhrstaub geworden war.

Von Pater Lampros hatten wir zunächst aus Upsala gehört, und zwar von Ehrhardt, der dort als Kustos am Herbarium wirkte und uns mit Material für unsere Arbeiten versah. Wir waren damals mit der Art beschäftigt, in der die Pflanzen den Kreis aufteilen, mit der Achsenstellung, die den organischen Figuren zugrunde liegt — und letzten Endes mit dem Kristallismus, der unveränderlich dem Wachstum Sinn erteilt, so wie dem Zeiger das Zifferblatt der Uhr. Nun teilte uns Ehrhardt mit, daß wir an der Marina ja den Autor des schönen Werkes über die Symmetrie der Früchte wohnen hätten — Phyllobius, unter welchem Namen der Pater Lampros sich verbarg. Da diese Nachricht uns begierig stimmte, machten wir dem Mönche, nachdem wir ihm ein Zettelchen geschrieben hatten, im Kloster der Falcifera Besuch.

Das Kloster lag uns so nahe, daß man von der Rautenklause die Spitze seines Turmes sah. Die Klosterkirche war Wallfahrtsort, und zu ihr führte der Weg durch sanfte Matten, auf denen die alten Bäume so herrlich blühten, daß kaum ein grünes Blättchen im Weiß erschien. Am Morgen war in den Gärten, die der Seewind frischte, kein Mensch zu sehen; und doch war durch die Kraft, die in den Blüten lebte, die Luft so geistig-wirkend, daß man durch Zaubergärten schritt. Bald sahen wir das Kloster vor uns liegen, das weit von einem Hügel schaute, mit seiner Kirche, die im heitren Stile errichtet war. Von ferne hörten wir bereits die Orgel tönen, die den Gesang, mit dem die Pilger das Bild verehrten, begleitete.

Als uns der Pförtner durch die Kirche führte, erwiesen auch wir dem Wunderbilde unseren Gruß. Wir sahen die hohe Frau auf einem Wolkenthrone, und ihre Füße ruhten wie auf einem Schemel auf dem schmalen Monde, in dessen Sichel ein Gesicht, das erdwärts blickte, gebildet war. So war die Gottheit dargestellt als Macht, die über dem Veränderlichen thront und die man zugleich als Bringerin und Fügerin verehrt.

Am Claustrum nahm uns der Zirkulator in Empfang, der uns zur Bibliothek geleitete, die unter Pater Lampros' Aufsicht stand. Hier pflegte er die Stunden zu verbringen, die für die Arbeit vorgesehen waren, und hier, umringt von hohen Folianten, weilten wir oftmals im Gespräch mit ihm. Als wir zum ersten Male durch die Türe traten, sahen wir den Pater, der soeben aus dem Klostergarten gekommen war, im stillen Raume stehen, mit einer purpurroten Siegwurzrispe in der Hand. Er trug den breiten Kastorhut noch auf dem Kopfe, und auf dem weißen Mantel spielte das bunte Licht, das durch die Kreuzgangfenster fiel.

Wir fanden in Pater Lampros einen Mann, der etwa fünfzig Jahre zählen mochte, von mittlerer Gestalt und feinem Gliederbau. Als wir ihm nähertraten, faßte uns ein Bangen, denn Gesicht und Hände dieses Mönches kamen uns ungewöhnlich und befremdend vor. Es schien, wenn ich es sagen soll, als ob sie einem Leichnam angehörten, und es war schwer zu glauben, daß Blut und Leben sich darin befand. Sie waren wie aus zartem Wachs gebildet — so kam es, daß das Mienenspiel nur langsam an die Oberfläche drang und mehr im Schimmer als in den Zügen des Gesichtes lag. Es wirkte seltsam starr und zeichenhaft, besonders wenn er, wie er es liebte, während des Gespräches die Hand erhob. Und dennoch webte in diesem Körper eine Art von feiner Leichtigkeit, die in ihn eingezogen war gleich einem Atemhauche, der ein Puppenbild belebt. Auch fehlte es ihm nicht an Heiterkeit.

Bei der Begrüßung sagte Bruder Otho, um das Bild zu loben, daß er in ihm den Liebreiz der Fortuna mit dem der Vesta in höherer Gestalt vereinigt finde — worauf der Mönch mit höflicher Gebärde das Gesicht zur Erde senkte und es dann lächelnd gegen uns erhob. Es war, als nähme er das kleine Wort, nachdem er es besonnen hatte, als eine Opfergabe in Empfang.

Aus diesem und vielen anderen Zügen erkannten wir, daß Pater Lampros die Diskussion vermied; auch wirkte er im Schweigen stärker als im Wort. Ähnlich hielt er es in der Wissenschaft, in der er zu den Meistern zählte, ohne sich am

61

Streit der Schulen zu beteiligen. Sein Grundsatz war, daß *jede* Theorie in der Naturgeschichte einen Beitrag zur Genesis bedeute, weil der Menschengeist in jedem Alter die Schöpfung von neuem konzipiere — und daß in jeder Deutung nicht mehr an Wahrheit lebe als in einem Blatte, das sich entfaltet und gar bald vergeht. Aus diesem Grunde nannte er sich auch Phyllobius, »der in den Blättern lebt« — in jener wunderlichen Mischung von Bescheidenheit und Stolz, die ihm zu eigen war.

Daß Pater Lampros den Widerspruch nicht liebte, war auch ein Zeichen der Höflichkeit, wie sie in seinem Wesen zu hoher Feinheit ausgebildet war. Da er zugleich die Überlegenheit besaß, verfuhr er so, daß er das Wort des Partners entgegennahm und wiedergab, indem er es in einem höheren Sinne bestätigte. Auf solche Weise hatte er Bruder Othos Gruß erwidert, und darin lag nicht nur Güte, wie sie der Kleriker im Laufe der Jahre erwirbt und steigert wie ein edler Wein — es lag darin auch Courtoisie, wie sie in hohen Häusern gezogen wird und wie sie ihre Sprossen mit einer zweiten, leichteren Natur begabt. Zugleich lag Stolz darin — denn wenn man herrscht, besitzt man Urteil und läßt die Meinungen auf sich beruhen.

Es hieß, daß Pater Lampros einem altburgundischen Geschlecht entstamme, doch sprach er niemals über die Vergangenheit. Aus seiner Weltzeit hatte er einen Siegelring zurückbehalten, in dessen roten Karneol ein Greifenflügel eingegraben war, darunter die Worte »meyn geduld hat ursach« als Wappenspruch. Auch darin verrieten sich die beiden Pole seines Wesens — Bescheidenheit und Stolz.

Bald weilten wir häufig im Kloster der Falcifera, sei es im Blumengarten, sei es in der Bibliothek. Auf diese Weise gedieh uns unsere »Florula« weit reicher als bisher, da Pater Lampros seit vielen Jahren an der Marina sammelte und wir nie von ihm gingen ohne einen Stoß Herbarienblätter, die er mit eigener Hand beschriftet hatte und deren jedes ein kleines Kunstwerk war.

Nicht minder günstig wirkte dieser Umgang auf unsere Arbeit über die Achsenstellung ein, denn es bedeutet viel für einen Plan, wenn man ihn hin und wieder mit einem guten Geist erwägen kann. In dieser Hinsicht gewannen wir den Eindruck, daß der Pater ganz unauffällig und ohne jeden Ehrgeiz auf Autorschaft an unserem Werke sich beteiligte. Nicht nur besaß er eine große Kenntnis der Erscheinungen, sondern er wußte auch die Augenblicke hohen Ranges zu vermitteln, in denen der Sinn der eigenen Arbeit uns wie ein Blitz durchdringt.

Vor allem blieb einer dieser Hinweise uns denkwürdig. Der Pater führte uns eines Morgens an einem Blumenhange, an dem die Klostergärtner in der Frühe gejätet hatten, zu einer Stelle, über die ein rotes Tuch gebreitet war. Er meinte, daß er dort der Unkrauthacke ein Gewächs entzogen hätte, um unser Auge zu erfreuen — doch als er dann das Tuch entfernte, erschien nichts anderes als eine junge Staude von jener Wegerichsorte, der Linnaeus den Namen major gab und wie man sie auf allen Pfaden findet, die je ein Menschenfuß betrat. Indessen, als wir uns auf sie herniederbeugten und sie aufmerksam musterten, erschien es uns, als ob sie ungewöhnlich groß und regelmäßig gewachsen sei; ihr

Rund war als ein grüner Kreis gebildet, den die ovalen Blätter unterteilten und zackig ränderten, in deren Mitte sich leuchtend der Wachstumspunkt erhob. Die Bildung schien zugleich so frisch und zart im Fleische wie unzerstörbar im Geistesglanze der Symmetrie. Da faßte uns ein Schauer an; wir fühlten, wie die Lust zu leben und die Lust zu sterben sich in uns einten; und als wir uns erhoben, blickten wir in Pater Lampros' lächelndes Gesicht. Er hatte uns ein Mysterium vertraut.

Wir durften die Muße, die uns Pater Lampros schenkte, um so höher schätzen, als sein Name bei den Christen in hohem Ansehen stand und viele, die Rat und Trost erhofften, sich ihm näherten. Doch liebten ihn auch solche, die an den Zwölf Göttern hingen oder die aus dem Norden stammten, wo man die Asen in weiten Hallen und umzäunten Hainen ehrt. Auch ihnen, wenn sie zu ihm kamen, spendete der Pater aus der gleichen Kraft, doch nicht in priesterlicher Form. Oft nannte Bruder Otho, der viele Tempel und Mysterien kannte, an diesem Geiste das Wundersame, daß er so hohe Grade der Erkenntnis mit der strikten Regel zu vereinigen verstand. Bruder Otho meinte, daß wohl auch das Dogma die Grade der Vergeistigung begleite — wie ein Gewand, das auf den frühen Stufen mit Gold und Purpurstoff durchflochten ist und dann mit jedem Schritte an unsichtbarer Qualität gewinnt, indes das Muster sich allmählich im Licht verliert.

Bei dem Vertrauen, das alle Kräfte, die an der Marina wirkten, dem Pater Lampros zollten, war er in den Gang der Dinge vollkommen eingeweiht. Er übersah das Spiel, das dort getrieben wurde, wohl besser als jeder andere, und daher kam es uns seltsam vor, daß er in seinem klösterlichen Leben sich nicht berühren ließ. Es schien vielmehr, daß in den gleichen Graden, in denen die Gefahr sich näherte, sein Wesen sich erheiterte und stärker leuchtete.

Oft sprachen wir darüber, wenn wir in unserer Rautenklause am Rebholzfeuer saßen — denn in bedrohten Zeiten ragen solche Geister wie Türme aus dem schwankenden Geschlecht. Wir fragten uns zuweilen, ob die Verderbnis ihm schon zu weit fortgeschritten scheine, um sie zu heilen; oder ob Bescheidenheit und Stolz ihn hinderten, im Streite der Parteien aufzutreten, sei es in Worten, sei es mit der Tat. Doch traf wohl Bruder Otho den Zusammenhang am besten, wenn er sagte, daß für Naturen wie die seine die Zerstörung des Schrecklichen entbehre und sie geschaffen seien, in die hohen Grade des Feuers einzutreten wie durch Portale in das Vaterhaus. Er, der gleich einem Träumer hinter Klostermauern lebe, sei von uns allen vielleicht allein in voller Wirklichkeit.

Wie dem auch sei — wenn Pater Lampros die Sicherheit für sich verschmähte, so zeigte er sich doch getreu um uns besorgt. Oft kamen seine Zettel, die er als Phyllobius unterschrieb, und mahnten uns, hier oder dort nach einer seltenen Blume, die gerade blühe, auf Exkursion zu gehen. Wir ahnten dann, daß er uns zu bestimmter Stunde an entferntem Orte wissen wollte, und handelten danach. Er mochte diese Form wohl wählen, weil er vieles unter Siegeln, die unverletzlich sind, erfuhr.

Auch fiel uns auf, daß seine Boten, wenn wir nicht in der

Klause weilten, uns diese Briefe durch Erio, nicht aber durch Lampusa übermittelten.

15

Als die Vernichtung stärker an die Marmorklippen brandete, lebten Erinnerungen an unsere Mauretanierzeiten in uns auf, und wir erwogen den Ausweg der Gewalt. Noch hielten die Mächte an der Marina sich so die Waage, daß geringe Kräfte den Ausschlag geben konnten, denn solange die Sippenbünde miteinander kämpften und Biedenhorn mit seinen Söldnern sich zweifelhaft verhielt, verfügte der Oberförster über geringes Personal.

Wir erwogen, mit Belovar und seiner Sippe nachts auf die Jäger Jagd zu machen und jeden, der uns ins Garn geriet, zerfetzt am Kreuzweg aufzuhängen, um so den Gäuchen aus den Tannichtdörfern in einer Sprache zuzusprechen, wie sie ihnen allein verständlich war. Bei solchen Plänen ließ der Alte vor Wonne den breiten Dolch in seiner Scheide hüpfen wie zum Liebesspiele und drängte, daß wir die Fangeisen schärfen und daß die Hetzer hungern sollten, bis ihnen die Blutwitterung die roten Zungen zum Boden hecheln ließ. Dann fühlten auch wir, daß uns die Macht des Triebes wie ein Blitzstrahl in die Glieder fuhr.

Wenn wir indessen im Herbarium oder in der Bibliothek die Lage gründlicher besprachen, entschlossen wir uns immer fester, allein durch reine Geistesmacht zu widerstehen. Nach Alta Plana glaubten wir erkannt zu haben, daß es

Waffen gibt, die stärker sind als jene, die schneiden und durchbohren, doch fielen wir zuweilen wie Kinder in die frühe Welt zurück, in welcher der Schrecken allmächtig ist. Wir kannten noch nicht die volle Herrschaft, die dem Menschen verliehen ist.

In dieser Hinsicht war der Umgang mit Pater Lampros uns von höchstem Wert. Wohl würden wir uns auch aus eigenem Herzen in jenem Sinne, in dem wir an die Marina zurückgekommen waren, entschieden haben; und doch wird uns vor solcher Wendung ein anderer zur Hilfe beigesandt. Die Nähe des guten Lehrers gibt uns ein, was wir im Grunde wollen, und sie befähigt uns, wir selbst zu sein. Daher lebt uns das edle Vorbild tief im Herzen, weil wir an ihm erahnen, wes wir fähig sind.

Nun brach für uns an der Marina eine sonderbare Zeit heran. Indes die Untat im Lande wie ein Pilzgeflecht im morschen Holze wucherte, versenkten wir uns immer tiefer in das Mysterium der Blumen, und ihre Kelche schienen uns größer und leuchtender als sonst. Vor allem aber setzten wir unsere Arbeiten an der Sprache fort, denn wir erkannten im Wort die Zauberklinge, vor deren Strahle die Tyrannenmacht erblaßt. Dreieinig sind das Wort, die Freiheit und der Geist.

Ich darf wohl sagen, daß die Mühe uns gedieh. An manchem Morgen erwachten wir in großer Heiterkeit, und wir verspürten auf der Zunge den Wohlgeschmack, wie seiner der Mensch im Stande der höheren Gesundheit teilhaftig wird. Dann fiel es uns nicht schwer, die Dinge zu benennen, und wir bewegten uns in der Rautenklause wie in einem

Raume, der in den Kammern magnetisch aufgeladen war. In einem feinen Rausch und Wirbel durchschritten wir die Gemächer und den Garten und legten zuweilen unsere Zettelchen auf den Kamin.

An solchen Tagen suchten wir bei hohem Sonnenstande die Zinne der Marmorklippen auf. Wir schritten über die roten Hieroglyphen der Lanzenottern auf dem Schlangenpfade und stiegen die Stufen der Felsentreppe an, die hell im Lichte schimmerten. Vom höchsten Grat der Klippen, der im Mittag blendend und fernhin leuchtete, sahen wir lange auf das Land, und unsere Blicke suchten sein Heil in jeder Falte, in jedem Raine zu erspähen. Dann fiel es uns wie Schuppen von den Augen, und wir begriffen es, so wie die Dinge in den Gedichten leben, im Glanze seiner Unzerstörbarkeit.

Und freudig erfaßte uns das Wissen, daß die Vernichtung in den Elementen nicht Heimstatt findet und daß ihr Trug sich auf der Oberfläche gleich Nebelbildern kräuselt, die der Sonne nicht widerstehen. Und wir erahnten: wenn wir in jenen Zellen lebten, die unzerstörbar sind, dann würden wir aus jeder Phase der Vernichtung wie durch offene Tore aus einem Festgemach in immer strahlendere gehen.

Oft meinte Bruder Otho, wenn wir auf der Höhe der Marmorklippen standen, daß dies der Sinn des Lebens sei — die Schöpfung im Vergänglichen zu wiederholen, so wie das Kind im Spiel das Werk des Vaters wiederholt. Das sei der Sinn von Saat und Zeugung, von Bau und Ordnung, von Bild und Dichtung, daß in ihnen das große Werk sich künde wie in Spiegeln aus buntem Glase, das gar bald zerbricht.

16

Wir denken an unsere stolzen Tage gern zurück. Doch sollen wir auch jene nicht verschweigen, in denen das Niedere über uns Gewalt gewann. In unseren schwachen Stunden erscheint uns die Vernichtung in schrecklicher Gestalt, wie jene Bilder, die man in den Tempeln der Rachegötter sieht.

Es graute für uns mancher Morgen, an dem wir zagend durch die Rautenklause schritten, und freudlos sannen wir im Herbarium und in der Bibliothek. Dann pflegten wir die Läden fest zu schließen und lasen bei Licht vergilbte Blätter und Skripturen, die uns dereinst auf mancher Fahrt begleiteten. Wir sahen in alte Briefe und schlugen zum Troste die bewährten Bücher auf, in denen Herzen uns Wärme spenden, die seit vielen hundert Jahren vermodert sind. So lebt die Glut der großen Erdensommer in dunklen Kohlenadern nach.

An solchen Tagen, die der Spleen regierte, schlossen wir auch die Türen, die zum Garten führten, da uns der frische Blumenduft zu feurig war. Am Abend schickten wir Erio in die Felsenküche, damit Lampusa ihm einen Krug von jenem Weine fülle, der im Kometenjahr gekeltert war.

Wenn dann das Rebholzfeuer im Kamine flammte, setzten wir nach einem Brauche, den wir uns in Britannien angeeignet hatten, die Duftamphoren auf. Wir pflegten dazu die Blütenblätter einzusammeln, wie sie die Jahreszeiten brachten, und preßten sie, nachdem wir sie getrocknet hatten, in weite, bauchige Gefäße ein. Wenn wir zur Winterszeit die Deckel von den Krügen hoben, dann war der bunte Flor längst abgeblaßt und in den Farben vergilbter Seide und fahlen Purpurstoffs dahingewelkt. Doch kräuselte aus diesem Blütengrummet gleich der Erinnerung an Resedenbeete und Rosengärten ein matter, wundersamer Duft empor.

Zu diesen trüben Festen brannten wir schwere Kerzen aus Bienenwachs. Sie stammten noch aus der Abschiedsgabe des Provençalenritters Deodat, der längst im wilden Taurus gefallen war. Bei ihrem Scheine gedachten wir dieses edlen Freundes und der Abendstunden, die wir auf Rhodos' hohem Mauerringe mit ihm verplaudert hatten, indes die Sonne am wolkenlosen Himmel der Ägäis unterging. Mit ihrem Sinken drang ein milder Lufthauch aus dem Galeerenhafen in die Stadt. Dann mischte sich der süße Duft der Rosen mit dem Ruch der Feigenbäume, und in die Meeresbrise schmolz die Essenz von fernen Wald- und Kräuterhängen ein. Vor allem aber stieg aus den Grabenwerken, auf deren Grund in gelben Polstern die Kamille blühte, ein tiefer, köstlicher Geruch empor.

Mit ihm erhoben sich die letzten, honigschweren Bienen und flogen durch die Mauerschlitze und Zinnenscharten den Körben in den kleinen Gärten zu. Ihr trunkenes Schwirren hatte, wenn wir auf dem Bollwerk der Porta d'Amboise standen, uns so oft ergötzt, daß Deodat beim Scheiden uns eine Last von ihrem Wachse mit auf den Weg gegeben hatte — »daß ihr die goldenen Summerinnen der Roseninsel nicht vergeßt«. Und wirklich sprühte, wenn wir die Kerzen brannten, von ihren Dochten ein zartes, trockenes Arom nach Spe-

70

zereien und nach den Blumen, die in Sarazengärten blühen.

So leerten wir das Glas auf alte und ferne Freunde und auf die Länder dieser Welt. Uns alle faßt ja ein Bangen, wenn die Lüfte des Todes wehen. Dann essen und trinken wir im Sinnen, wie lange an diesen Tafeln noch der Platz für uns bereitet ist. Denn die Erde ist schön.

Daneben bedrückte uns ein Gedanke, der allen, die an Werken des Geistes schaffen, geläufig ist. Wir hatten so manches Jahr beim Studium der Pflanzen verbracht und dabei Öl und Mühe nicht gespart. Auch hatten wir gern das väterliche Erbteil zugesetzt. Nun fielen die ersten reifen Früchte uns in den Schoß. Dann waren da die Briefe, die Skripturen, Kollektaneen und Herbarien, die Tagebücher aus Kriegs- und Reisejahren und insbesondere die Materialien zur Sprache, die wir aus vielen tausend Steinchen gesammelt hatten und deren Mosaik schon weit gediehen war. Aus diesen Manuskripten hatten wir erst weniges ediert, denn Bruder Otho meinte, daß vor Tauben zu musizieren ein schlechtes Handwerk sei. Wir lebten in Zeiten, in denen der Autor zur Einsamkeit verurteilt ist. Und dennoch hätten wir bei diesem Stande der Dinge gar manches gern gedruckt gesehen — nicht um des Nachruhms willen, der ja nicht minder zu den Formen des Wahnes als der Augenblick gehört, sondern weil sich im Druck das Siegel des Abgeschlossenen und Unveränderlichen verbirgt, an dessen Anblick sich auch der Einsame ergötzt. Wir gehen lieber, wenn die Dinge in Ordnung sind.

Wenn wir um unsere Blätter bangten, gedachten wir oft

der heiteren Ruhe des Phyllobius. Wir lebten doch ganz anders in der Welt. Uns schien es allzu schwer, daß wir uns von den Werken trennen sollten, in denen wir webten und wurzelten. Doch hatten wir zum Trost den Spiegel Nigromontans, an dessen Anblick wir uns stets, wenn wir in solcher Stimmung waren, erheiterten. Er stammte aus dem Nachlaß meines alten Lehrers, und seine Eigenschaft war die, daß sich die Sonnenstrahlen durch ihn zu einem Feuer von hoher Kraft verdichteten. Die Dinge, die man an solcher Glut entzündete, gingen ins Unvergängliche auf eine Weise, von der Nigromontanus meinte, daß sie am besten dem reinen Destillat vergleichbar sei. Er hatte diese Kunst in Klöstern des Fernen Orients erlernt, wo man den Toten ihre Schätze zu ewigem Geleit verbrennt. Ganz ähnlich meinte er, daß alles, was man mit Hilfe dieses Spiegels entflammen würde, im Unsichtbaren weit sicherer als hinter Panzertüren aufgehoben sei. Es würde durch eine Flamme, die weder Rauch noch niedere Röte zeige, in Reiche, die jenseits der Zerstörung liegen, überführt. Nigromontanus nannte das die Sicherheit im Nichts, und wir beschlossen, sie zu beschwören, wenn die Stunde der Vernichtung gekommen war.

Wir hielten daher den Spiegel wert wie einen Schlüssel, der zu hohen Kammern führt, und öffneten an solchen Abenden behutsam das blaue Futteral, das ihn umschloß, um uns an seinem Funkeln zu erfreuen. Dann glänzte im Kerzenlichte seine Scheibe aus hellem Bergkristall, die rundum von einem Ring aus Elektron umgeben war. In diese Fassung hatte Nigromontan in Sonnenrunen einen Spruch gegraben, der seiner Kühnheit würdig war:

Und sollte die Erde wie ein Geschoß zerspringen,
Ist unsere Wandlung Feuer und weiße Glut.

Auf die Rückseite waren ameisenfüßig in Palischrift die
Namen dreier Witwen von Königen geritzt, die singend beim
Totenprunk den Scheiterhaufen bestiegen hatten, nachdem
er von Brahmanenhand mit Hilfe dieses Spiegels entzündet
worden war.

Neben dem Spiegel lag noch eine kleine Lampe, die auch
aus Bergkristall geschnitten und mit dem Zeichen der Vesta
versehen war. Sie war bestimmt, die Kraft des Feuers für
Stunden der Sonnenferne zu bewahren oder für Augenblicke, in denen Eile geboten war. Mit dieser Lampe, und
nicht mit Fackeln, wurde auch der Scheiterhaufen bei
Olympia entzündet, als Peregrinus Proteus, der sich dann
Phönix nannte, im Angesichte einer ungeheuren Menschen-
menge ins offene Feuer sprang, um sich dem Äther zu vereinigen. Die Welt kennt diesen Mann und seine hohe Tat
nur durch das lügenhafte Zerrbild Lukians.

In jeder guten Waffe liegt Zauberkraft; wir fühlen uns
schon im Anblick wunderbar gestärkt. Das galt auch für den
Spiegel Nigromontans; sein Blitzen weissagte uns, daß wir
nicht gänzlich untergehen würden, ja daß das Beste in uns
den niederen Gewalten unzugänglich war. So ruhen unsere
hohen Kräfte unverletzlich wie in den Adlerschlössern aus
Kristall.

Der Pater Lampros freilich lächelte und meinte, es gäbe
Sarkophage auch für den Geist. Die Stunde der Vernichtung aber müsse die Stunde des Lebens sein. Das durfte ein

Priester sagen, der sich vom Tode angezogen fühlte wie von fernen Katarakten, in deren Wirbelfahnen die Sonnenbogen stehen. Wir aber waren in der Lebensfülle und fühlten uns der Zeichen sehr bedürftig, die auch das körperliche Auge erkennen kann. Uns Sterblichen erblüht erst in der Mannigfaltigkeit der Farben das eine und unsichtbare Licht.

17

Es fiel uns auf, daß jene Tage, an denen uns der Spleen erfaßte, auch Nebeltage waren, an denen das Land sein heiteres Gesicht verlor. Die Schwaden brauten dann aus den Wäldern wie aus üblen Küchen und wallten in breiten Bänken auf die Campagna vor. Sie stauten sich an den Marmorklippen und schoben bei Sonnenaufgang träge Ströme ins Tal hinab, das bald bis an die Spitzen der Dome im weißen Dunst verschwunden war. Bei solchem Wetter fühlten wir uns der Augenkraft beraubt und spürten, daß sich das Unheil wie unter einem dichten Mantel ins Land einschlich. Wir taten daher gut, wenn wir den Tag bei Licht und Wein im Haus verbrachten; und dennoch trieb es uns oft, hinauszugehen. Es schien uns nämlich nicht allein, daß draußen die Feuerwürmer ihr Wesen trieben, sondern als ob zugleich das Land sich in der Form verändere — als ob sich seine Wirklichkeit vermindere.

Daher beschlossen wir oft auch an Nebeltagen, auf Exkursion zu gehen, und suchten dann vor allem die Weidegründe auf. Auch war es stets ein ganz bestimmtes Kraut, das zu erbeuten wir uns zum Ziele setzten; wir suchten, wenn ich so sagen darf, im Chaos uns an Linnaeus' Wunderwerk zu halten, das einen der Säulentürme stellt, von denen der Geist die Zonen des wilden Wachstums überblickt. In diesem Sinne spendete ein kleines Pflänzlein, das wir brachen, uns oft großen Schein.

Es kam noch etwas anderes hinzu, das ich als eine Art von Scham bezeichnen möchte — wir sahen nämlich das Waldgelichter nicht als Gegner an. Aus diesem Grunde hielten wir stets darauf, daß wir auf Pflanzenjagd und nicht im Kampfe waren und so die niedere Bosheit zu vermeiden hatten, wie man den Sümpfen und wilden Tieren aus dem Wege geht. Wir billigten dem Lemurenvolke nicht Willensfreiheit zu. Nie dürfen solche Mächte uns in einem Maße das Gesetz vorschreiben, daß uns die Wahrheit aus den Augen kommt.

An solchen Tagen waren die Treppenstufen, die auf die Marmorklippen führten, vom Nebel feucht, und kühle Winde sprühten die Schwaden über sie hinab. Obwohl sich auf den Weidegründen viel verändert hatte, waren uns doch die alten Pfade noch vertraut. Sie führten durch die Ruinen reicher Höfe, die nun ein kalter Brandgeruch durchwob. Wir sahen in den eingestürzten Ställen die Knochen des Viehes bleichen, mit Huf und Horn und mit der Kette noch um den Hals. Im Innenhofe türmte sich der Hausrat, wie er von den Feuerwürmern aus den Fenstern geworfen und dann geplündert worden war. Da lag die Wiege zerbrochen zwischen Stuhl und Tisch, und Nesseln grünten um sie empor. Nur selten stießen wir auf versprengte Trupps von Hirten; sie führten wenig und kümmerliches Vieh. Von den Kadavern, die auf den Weiden faulten, waren Seuchen aufgestiegen und hatten das große Sterben in die Herden eingeführt. So bringt der Untergang der Ordnung niemandem Heil.

Nach einer Stunde stießen wir auf den Hof des alten Belovar, der fast allein an alte Zeiten erinnerte, denn er lag reich an Vieh und unversehrt im Kranze der grünen Weiden da. Der Grund lag darin, daß Belovar zugleich ein freier Hirte und Sippenführer war und daß er seit Beginn der Wirren sein Gut von allem streifenden Gesindel sauber gehalten hatte, so daß seit langem kein Jäger und kein Feuerwurm sich traute, auch nur von ferne an ihm vorbeizugehen. Was er von diesen in Feld und Busch erschlug, das zählte er seinen guten Werken zu und schnitt aus solchem Grunde nicht einmal eine neue Kerbe in seinen Dolch. Mit Strenge hielt er darauf, daß alles Vieh, das ihm in seinen Marken zugrunde ging, tief eingegraben und mit Kalk beschüttet wurde, damit die böse Luft sich nicht verbreitete. So kam es, daß man zu ihm durch große Herden von roten und bunt gescheckten Rindern ging und daß sein Haus und seine Scheuern noch weithin leuchteten. Auch lachten die kleinen Götter, die seine Grenzen schützten, uns stets im Glanze frischer Spenden an.

Im Kriege liegt zuweilen ein Außenfort noch unversehrt, wenn längst die Festung gefallen ist. In dieser Weise bot uns der Hof des Alten einen Stützpunkt dar. Wir konnten hier sicher rasten und mit ihm plaudern, indes Milina, sein junges Weibchen, uns in der Küche Wein mit Safran kochte und Kuchen im Butterkessel sott. Der Alte hatte noch eine Mutter, die fast an hundert Jahr alt war und dennoch aufrecht wie ein Licht durch Haus und Höfe schritt. Wir sprachen mit der Bestemutter gern, denn sie war kräuterkundig und kannte Sprüche, deren Kraft das Blut gerinnen macht. Auch ließen wir uns von ihrer Hand betasten, wenn wir Abschied nahmen, um weiter vorzugehen.

Meist wollte der Alte uns begleiten, doch nahmen wir ihn nur ungern mit. Es schien, als zöge seine Nähe uns das Gelichter aus den Tannichtdörfern auf den Hals, so wie die Hunde sich rühren, wenn der Wolf um die Gemarkung streift. Das war wohl nach des Alten Herzen; wir aber hatten dort anderes im Sinn. Wir gingen ohne Waffen, ohne Knechte und zogen leichte, silbergraue Mäntel über, um im Nebel verborgener zu sein. Dann tasteten wir uns durch Moor- und Schilfgelände behutsam auf die Hörner und auf den Waldrand vor.

Sehr bald, wenn wir den Weidegrund verließen, bemerkten wir, daß die Gewalt nun näher und stärker war. Die Nebel wallten in den Büschen, und das Röhricht zischelte im Wind. Ja selbst der Boden, auf dem wir schritten, kam uns fremder und unbekannter vor. Vor allem aber war es bedenklich, daß sich die Erinnerung verlor. Dann wurde das Land ganz trügerisch und schwankend und den Gefilden ähnlich, die man in Träumen sieht. Zwar gab es immer Orte, die wir mit Sicherheit erkannten, doch gleich daneben wuchsen wie Inseln, die aus dem Meere tauchen, neue und rätselhafte Streifen an. Um hier die rechte und wahre Topographie zu schaffen, bedurfte es unserer ganzen Kraft. Wir taten daher wohl, die Abenteuer zu vermeiden, nach denen der alte Belovar begierig war.

So schritten und weilten wir oft viele Stunden in Moor und Ried. Wenn ich die Einzelheiten dieses Weges nicht beschreibe, dann liegt das daran, daß wir Dinge trieben, die außerhalb der Sprache liegen und die daher dem Banne, den Worte üben, nicht unterworfen sind. Indessen erinnert sich ein jeder, daß sein Geist, sei es in Träumen oder tiefem Sinnen, sich angestrengt in Regionen mühte, die er nicht schildern kann. Es war, als ob er sich in Labyrinthen zurechtzutasten oder die Zeichnungen zu schauen suchte, die im Vexierbild eingeschlossen sind. Und manchmal erwachte er wundersam gestärkt. In solchem findet unsere beste Arbeit statt. Es schien uns, daß uns im Kampfe selbst die Sprache noch nicht genüge, sondern daß wir bis in die Traumestiefe dringen müßten, um die Bedrohung zu bestehen.

Und wirklich ergriff uns, wenn wir einsam in Moor und Röhricht standen, das Beginnen oft wie ein feines Spiel mit Zug und Gegenzug. Dann brauten die Nebel stärker auf, und doch schien auch in unserem Innern zugleich die Kraft zu wachsen, die Ordnung schafft.

18

Indessen ließen wir bei keinem dieser Gänge die Blumen außer acht. Sie gaben uns die Richtung, wie der Kompaß den Weg durch ungewisse Meere weist. So war es auch an jenem Tage, an dem wir in das Innere des Fillerhornes drangen und dessen wir uns später nur mit Grausen erinnerten.

Wir hatten uns am Morgen, als wir die Nebel aus den

Wäldern bis an die Marmorklippen kochen sahen, vorgenommen, nach dem Roten Waldvögelein zu fahnden, und hatten uns, nachdem Lampusa das Frühstück zugerüstet, bald auf den Weg gemacht. Das Rote Waldvögelein ist eine Blume, die vereinzelt in Wäldern und Dickichten gedeiht, und führt den Namen Rubra, den Linnaeus ihr verliehen, im Unterschied zu zwei blassen Arten, doch blüht es seltener als sie. Da diese Pflanze die Stellen liebt, an denen die Dickungen sich lichten, meinte Bruder Otho, daß sie vielleicht am besten bei Köppelsbleek zu suchen sei. So nannten die Hirten einen alten Kahlschlag, der an dem Orte liegen sollte, an dem der Waldrand in die Sichel des Fillerhornes mündet, und der verrufen war.

Am Mittag waren wir bei dem alten Belovar, doch nahmen, da wir uns der vollen Geisteskraft bedürftig fühlten, wir keine Nahrung an. Wir streiften die silbergrauen Mäntel über, und da die Bestemutter uns, ohne Widerstand zu finden, abgetastet hatte, entließ der Alte uns getrost.

Gleich hinter seiner Grenze setzte ein tolles Nebeltreiben ein, das alle Formen verwischte und uns bald Weg und Steg verlieren ließ. Wir irrten im Kreis auf Moor und Heide und machten zuweilen zwischen Gruppen von alten Weiden oder an trüben Tümpeln, aus denen hohe Binsen wuchsen, halt.

Die Ödnis schien an diesem Tag belebter, denn wir hörten im Nebel Rufe und glaubten Gestalten zu erkennen, die nah im Dunst an uns vorüberglitten, doch ohne uns zu sehen. Wir hätten in diesem Trubel gewiß den Weg zum Fillerhorn verfehlt, allein wir hielten uns an den Sonnentau. Wir wußten, daß dieses Kräutlein den feuchten Gürtel, der den

Wald umringte, besiedelt hielt, und folgten dem Muster seiner glänzend grünen und rot behaarten Blätter wie einem Teppichsaum. Auf diese Weise erreichten wir die drei hohen Pappeln, die sonst bei klarem Wetter die Spitze des Fillerhornes wie Lanzenschäfte weithin zeichneten. Von diesem Punkte tasteten wir uns an der Sichelschneide bis an den Waldrand vor und drangen dort in die größte Breite des Fillerhornes ein.

Nachdem wir einen dichten Saum von Schlehdorn und Kornellen durchbrochen hatten, traten wir in den Hochwald ein, in dessen Gründen noch nie der Schlag der Axt erklungen war. Die alten Stämme, die den Stolz des Oberförsters bildeten, standen im feuchten Glanz wie Säulen, deren Kapitelle der Dunst verbarg. Wir schritten unter ihnen wie durch weite Vestibüle, und gleich dem Zauberwerk auf einer Bühne hingen Efeuranken und Klematisblüten aus dem Unsichtbaren auf uns herab. Der Boden war hoch bedeckt mit Mulm und moderndem Geäst, auf dessen Rinde sich Pilze, brennend rote Becherlinge, angesiedelt hatten, so daß uns ein Gefühl von Tauchern, die durch Korallengärten wandeln, überschlich. Wo einer dieser Riesenstämme vom Alter oder durch den Blitz geworfen war, da traten wir auf kleine Lichtungen hinaus, auf denen der gelbe Fingerhut in dichten Büscheln stand. Auch wucherten Tollkirschensträucher auf dem morschen Grunde, an deren Zweigen die Blumenkelche in braunem Violett wie Totenglöckchen schaukelten.

Die Luft war still und drückend, doch scheuchten wir mannigfache Vögel auf. Wir hörten das feine Zirpen, mit dem das Feuerhähnchen durch die Lärchen streift, und auch die Warnungsrufe, mit denen die aufgeschreckte Drossel ihr Liedchen unterbricht. Kichernd barg sich der Wendehals im hohlen Erlenstamm, und in den Eichenkronen gaben uns die Pirole mit gaukelndem Gelächter das Geleit. Auch hörten wir in der Ferne den trunkenen Täuber girren und das Hämmern der Spechte am toten Holz.

Behutsam und oft verharrend pürschten wir einen flachen Hügel an, bis Bruder Otho, der ein wenig voraus war, mir zurief, daß die Rodung ganz nahe sei. Das war der Augenblick, in dem ich das Rote Waldvögelein, nach dem wir suchten, im Dämmer schimmern sah, und freudig eilte ich darauf zu. Das Blümlein machte seinem Namen Ehre, denn es schien einem Vögelchen zu gleichen, das heimlich im kupferbraunen Buchenlaube nistete. Ich sah die schmalen Blätter und die Purpurblüte mit der blassen Spitze der Honiglippe, durch die sie ausgezeichnet ist. Den Forscher, den so der Anblick eines Pflänzleins oder eines Tieres überrascht, ergreift ein glückliches Gefühl, als hätte die Natur ihn reich beschenkt. Bei solchen Funden pflegte ich, ehe ich sie berührte, Bruder Otho anzurufen, daß er die Freude mit mir teile, doch als ich eben den Blick zu ihm erheben wollte, hörte ich einen Klagelaut, der mich erschrecken ließ. So strömt nach Wunden, die uns tief verletzten, der Lebensatem langsam aus der Brust. Ich sah ihn wie gebannt dicht vor mir auf der Hügelkuppe stehen, und als ich zu ihm eilte, hob er die Hand und lenkte meinen Blick. Da fühlte ich es wie mit Krallen mir nach dem Herzen greifen, denn vor mir ausgebreitet lag die Stätte der Unterdrückung in ihrer vollen Schmach.

19

Wir standen hinter einem kleinen Busche, der feuerrote
Beeren trug, und schauten auf die Rodung von Köppelsbleek hinaus. Das Wetter hatte sich geändert, denn wir erblickten von den Nebelschwaden, die uns seit den Marmorklippen begleitet hatten, hier keine Spur. Die Dinge traten
vielmehr in voller Deutlichkeit hervor, so wie im Zentrum
eines Wirbelsturmes, in stiller und unbewegter Luft. Auch
waren die Vogelstimmen nun verstummt, und nur ein
Kuckuck lichterte, wie es die Sitte seiner Sippschaft ist, am
dunklen Waldrand hin und her. Bald nah, bald ferner hörten wir sein spöttisches und fragendes Gelächter Kuck-
Kuck, Kuck-Kuck rufen und dann sich triumphierend über-
schlagen, daß uns ein Frösteln überlief.

Die Rodung war mit dürrem Grase überwachsen, das nur
im Hintergrunde der grauen Kardendistel, die man auf Ab-
raumplätzen findet, wich. Von diesem trockenen Bestande
hoben sich seltsam frisch zwei große Büsche ab, die wir beim
ersten Blick für Lorbeersträucher hielten, doch waren die
Blätter gelb gescheckt, wie man sie in Fleischerläden sieht.
Sie wuchsen zu beiden Seiten einer alten Scheuer, die weit
geöffnet auf der Rodung stand. Das Licht, das sie beschien,
war zwar kein Sonnenlicht, doch gleißend und schattenlos
und hob den weißgetünchten Bau sehr scharf hervor. Die
Mauern waren durch schwarze Balken, die auf drei Füßen
standen, in Fächer eingeteilt, und über ihnen stieg spitz ein
graues Schindeldach empor. Auch waren Stangen und Haken
an sie angelehnt.

Über dem dunklen Tore war am Giebelfelde ein Schädel festgenagelt, der dort im fahlen Lichte die Zähne bleckte und mit Grinsen zum Eintritt aufzufordern schien. Wie eine Kette im Kleinod endet, so schloß in ihm ein schmaler Giebelfries, der wie aus braunen Spinnen gebildet schien. Doch gleich errieten wir, daß er aus Menschenhänden an die Mauer geheftet war. Wir sahen das so deutlich, daß wir den kleinen Pflock erkannten, der durch den Teller einer jeden getrieben war.

Auch an den Bäumen, die die Rodung säumten, bleichten die Totenköpfe, von denen mancher, dem in den Augenhöhlen schon Moos gewachsen war, mit dunklem Lächeln uns zu mustern schien. Es war ganz still bis auf den tollen Tanz, mit dem der Kuckuck um die Schädelbleiche lichterte. Ich hörte, wie Bruder Otho, halb träumend, flüsterte: »Ja, das ist Köppelsbleek.«

Das Innere der Scheune lag fast im Dunkel, und wir erkannten nur dicht am Eingang eine Schinderbank mit aufgespannter Haut. Dahinter schimmerten noch bleiche, schwammige Massen aus dem finstren Grund. Zu ihnen sahen wir in die Scheuer Schwärme stahlfarbener und goldener Fliegen schwirren wie in ein Bienenhaus. Dann fiel der Schatten eines großen Vogels auf den Platz. Er rührte von einem Geier, der mit ausgezackten Schwingen auf das Kardenfeld herniederstieß. Erst als wir ihn bis an den roten Hals langsam im aufgewühlten Grunde schnäbeln sahen, erkannten wir, daß dort ein Männlein mit der Hacke am Werke war und daß der Vogel seine Arbeit begleitete, so wie der Rabe dem Pfluge folgt.

Nun legte das Männlein die Hacke nieder und schritt, ein Liedchen pfeifend, auf die Scheuer zu. Es war in einen grauen Rock gekleidet, und wir sahen, daß es sich wie nach wackrem Werk die Hände rieb. Nachdem es in die Scheuer eingetreten war, begann ein Pochen und Schaben an der Schinderbank, dazu es in lemurenhafter Heiterkeit sein Liedchen weiterpfiff. Dann hörten wir, wie zur Begleitung, im Tannicht den Wind sich wiegen, so daß die bleichen Schädel an den Bäumen im Chore klapperten. Auch mischten sich in sein Wehen das Schwingen der Haken und das Kraspeln der dürren Hände an der Scheuerwand. Das klang so hölzern und beinern wie im Reich des Todes ein Marionettenspiel. Zugleich trieb mit dem Winde ein zäher, schwerer und süßer Hauch der Verwesung an, der uns bis in das Mark der Knochen erzittern ließ. Wir fühlten, wie in unserem Innern die Lebensmelodie auf ihre dunkelste, auf ihre tiefste Saite übergriff.

Wir wußten später nicht zu sagen, wie lange wir diesen Spuk betrachtet hatten — vielleicht nicht länger als einen Augenblick. Dann, wie erwachend, faßten wir uns an den Händen und stürzten in den Hochwald des Fillerhorns zurück, indes der Kuckucksruf uns höhnend geleitete. Nun kannten wir die üble Küche, aus der die Nebel über die Marina zogen — da wir nicht weichen wollten, hatte der Alte sie uns ein wenig deutlicher gezeigt. Das sind die Keller, darauf die stolzen Schlösser der Tyrannis sich erheben und über denen man die Wohlgerüche ihrer Feste sich kräuseln sieht: Stankhöhlen grauenhafter Sorte, darinnen auf alle Ewigkeit verworfenes Gelichter sich an der Schändung der

Menschenwürde und Menschenfreiheit schauerlich ergötzt. Dann schweigen die Musen, und die Wahrheit beginnt zu flackern wie eine Leuchte in böser Wetterluft. Da sieht man die Schwachen schon weichen, wenn kaum die ersten Nebel brauen, doch selbst die Kriegerkaste beginnt zu zagen, wenn sie das Larvengelichter aus den Niederungen auf die Bastionen emporgestiegen sieht. So kommt es, daß Kriegsmut auf dieser Welt im zweiten Treffen steht; und nur die Höchsten, die mit uns leben, dringen bis in den Sitz des Schreckens ein. Sie wissen, daß alle diese Bilder ja nur in unserem Herzen leben, und schreiten als durch vorgestellte Spiegelungen durch sie in stolze Siegestore ein. Dann werden sie durch die Larven gar herrlich in ihrer Wirklichkeit erhöht.

Uns aber hatte der Totentanz auf Köppelsbleek im Innersten geschreckt, und schaudernd standen wir im tiefen Walde und lauschten dem Kuckucksruf. Nun aber begann die Scham uns zu ergreifen, und es war Bruder Otho, der verlangte, daß wir uns gleich noch einmal an die Rodung zurückbegeben sollten, weil das Rote Waldvögelein nicht in das Fundbuch eingetragen worden sei. Wir pflegten nämlich über alle Pflanzenfunde an Ort und Stelle Tagebuch zu führen, da wir erfahren hatten, daß uns in der Erinnerung viel entging. So dürfen wir wohl sagen, daß unsere »Florula Marinae« im Feld entstanden ist.

Wir pürschten also, ohne uns an den Kuckucksruf zu kehren, wieder bis an den kleinen Hügel vor und suchten dann im Laube das Pflänzlein auf. Nachdem wir es noch einmal gut betrachtet hatten, hob Bruder Otho seinen Wurzelstock

mit unserem Spatel aus. Dann maßen wir das Kraut in allen seinen Teilen mit dem Zirkel aus und trugen mit dem Datum auch die Einzelheiten des Fundorts in unser Büchlein ein.

Wir Menschen, wenn wir so in den uns zugemessenen Berufen am Werke sind, stehen im Amt — und es ist seltsam, daß uns dann ein stärkeres Gefühl der Unversehrbarkeit ergreift. Wir hatten das bereits im Feld erfahren, wo der Krieger, wenn die Nähe des Todes an ihm zu zehren droht, sich gern den Pflichten widmet, die seinem Stande vorgeschrieben sind. In gleicher Weise hatte uns die Wissenschaft gar oft gestärkt. Es liegt im Blick des Auges, der sich erkennend und ohne niedere Blendung auf die Dinge richtet, eine große Kraft. Er nährt sich von der Schöpfung auf besondere Weise, und hierin liegt allein die Macht der Wissenschaft. So fühlten wir, wie selbst das schwache Blümlein in seiner Form und Bildung, die unverwelklich sind, uns stärkte, dem Hauche der Verwesung zu widerstehen.

Als wir dann durch das hohe Holz zum Waldrand schritten, war die Sonne hervorgetreten, wie man das zuweilen noch kurz vor ihrem Untergange an Nebeltagen sieht. In den durchbrochenen Kronen der Riesenbäume lag goldener Schein, und golden war auch der Glanz des Mooses, das unser Fuß betrat. Die Kuckucksrufe waren nun längst verstummt, doch in den höchsten, wipfeldürren Zweigen waren unsichtbar die Sprosser aufgezogen, köstliche Sänger, deren Stimme die kühle Feuchte inniglich durchdrang. Dann stieg mit grünem Schimmer, wie aus Grotten, der Abend auf. Den Geißblattranken, die aus der Höhe herniederhingen, entströmte tiefer Duft, und schwirrend stiegen die bunten Abendschwärmer zu ihren gelben Blütenhörnern auf. Wir sahen sie leise zitternd und wie im Wollusttraum verloren vor den Lippen der aufgereckten Kelche stehen, dann stießen sie vibrierend den schmalen und leicht gekrümmten Rüssel in den süßen Grund.

Als wir bei den drei Pappeln das Fillerhorn verließen, begann bereits die bleiche Sichel des Mondes sich in Gold zu färben, und die Sterne traten am Firmament hervor. Im Binsengrunde stießen wir auf den alten Belovar, der in der Dämmerung mit seinen Knechten und Hetzern auf unsere Spur gegangen war. Der Alte lachte, als wir ihm nachher beim Safranweine die rote Blume zeigten, die wir in Köppelsbleek erbeutet hatten; wir aber schwiegen und baten ihn beim Abschied, auf seinem schönen und unversehrten Hofe wohl auf der Hut zu sein.

20

Es gibt Erfahrungen, die uns von neuem zur Prüfung zwingen, und zu ihnen zählte für uns der Einblick in die Schinderhütte bei Köppelsbleek. Zunächst beschlossen wir, den Pater Lampros aufzusuchen, doch ehe wir in das Kloster der Falcifera gelangten, brach das Verhängnis über uns herein.

Am nächsten Tage ordneten wir lange Skripturen im Herbarium und in der Bibliothek und legten vieles schon brandgerecht. Wir hatten nun die Nähe der Gefahr erkannt. Dann saß ich noch ein wenig bei Beginn der Dunkelheit im Garten auf der Terrassenbrüstung, um mich am Duft der Blumen zu erfreuen. Noch lag die Sonnenwärme auf den Beeten, und doch stieg aus den Ufergräsern bereits die erste Kühlung auf, die den Geruch des Staubes niederschlug. Dann fiel der Hauch der Mondviolen und der hellen Nachtkerzenblüten kaskadisch von den Marmorklippen in den Garten der Rautenklause ein. Und wie es Düfte gibt, die sinken, und andere, die aufwärtssteigen, so drang durch diese schweren Wellen ein leichteres und feineres Arom empor.

Ich ging ihm nach und sah, daß in der Dämmerung die große Goldbandlilie aus Zipangu aufgesprungen war. Es war noch Licht genug, den goldenen Flammenstrich zu ahnen und auch die Tigerung, durch die der weiße Kelch gar prächtig gezeichnet war. In seinem hellen Grunde stand wie der Klöppel in der Glocke das Pistill, um das sechs schmale Staubgefäße sich im Kreise ordneten. Sie waren mit braunem Puder wie mit dem feinsten Auszug von Opium bedeckt und von den Faltern ganz unbeflogen, so daß die zarte Scheide in ihrer Mitte noch leuchtete. Ich beugte mich über sie und sah, daß sie an ihren Fäden zitterten wie Spielwerk der Natur: gleich einem Glockenspiele, das statt der Töne muskatische Essenz verströmen ließ. Für immer wird es ein Wunder bleiben, daß diese zarten Lebewesen so starke Liebeskraft beseelt.

Indem ich so die Lilien beschaute, blitzte unten am Weinbergwege ein feiner blauer Lichtstrahl auf und schob sich tastend am Rebenhügel vor. Dann hörte ich, wie vor der Rautenklausenpforte ein Wagen hielt. Obgleich wir Gäste nicht erwarteten, eilte ich doch der Lanzenottern wegen zum Tor hinab und sah dort einen starken Wagen stehen, der leise summte wie ein Insekt, das fast unhörbar schwirrt. Er trug die Farben, die der hohe Adel von Neuburgund sich vorbehalten hat, und vor ihm standen zwei Männer, von denen der eine das Zeichen schlug, mit dem die Mauretanier sich in der Dunkelheit verständigen. Er nannte mir seinen Namen, Braquemart, an den ich mich erinnerte, und stellte mich dann dem andern vor, dem jungen Fürsten von Sunmyra, einem hohen Herren aus neuburgundischem Geschlecht.

Ich bat sie, in die Rautenklause einzutreten, und faßte sie, um sie zu führen, bei der Hand. Wir schritten zu dritt im schwachen Scheine den Schlangenpfad empor, und ich bemerkte, daß der Fürst der Tiere kaum achtete, indessen Braquemart sie spöttisch und doch sehr aufmerksam vermied.

Wir gingen in die Bibliothek, in der wir Bruder Otho trafen, und während Lampusa Wein und Gebäck aufsetzte, begannen wir mit unseren Gästen das Gespräch. Wir kannten Braquemart bereits von früher, doch hatten wir ihn immer nur kurz gesehen, da er häufig auf Reisen war. Er war ein kleiner, dunkler, hagerer Geselle, den wir ein wenig grobdrähtig fanden, doch wie alle Mauretanier nicht ohne Geist. Er zählte zu jenem Schlage, den wir im Scherz die Tigerjäger nannten, weil man ihnen zumeist in Abenteuern, die exotischen Charakter trugen, begegnete. Er ging in die Gefahr, wie man zum Sport in kluftenreiche Massive steigt; ihm waren die Ebenen verhaßt. Er hatte ein starkes Herz von jener Sorte, die nicht vor Hindernissen scheut; doch leider gesellte sich dieser Tugend Verachtung zu. Wie alle Schwärmer von Macht und Übermacht verlegte er seine wilden Träume in die Reiche der Utopie. Er war der Meinung, daß es auf Erden seit Anbeginn zwei Rassen gebe, die Herren und die Knechte, und daß im Lauf der Zeiten zwischen ihnen Vermischung eingetreten sei. In dieser Hinsicht war er ein Schüler vom Alten Pulverkopf und forderte wie dieser die neue Sonderung. Auch lebte er, wie jeder grobe Theoretiker, vom Zeitgemäßen in der Wissenschaft und trieb besonders die Archäologie. Er war nicht fein genug, zu ahnen, daß unser Spaten unfehlbar alle Dinge findet, die uns im Sinne leben, und er hatte, wie schon so mancher vor ihm, auf diese Weise den ersten Sitz des menschlichen Geschlechts entdeckt. Wir waren mit in der Sitzung, in der er über diese Grabungen berichtete, und hörten, daß er in einer fernen Wüste auf ein groteskes Tafelland gestoßen war. Dort wuchsen hohe Porphyrsockel aus einer großen Ebene empor — sie waren von der Verwitterung ausgespart und standen wie Bastionen oder Felseninseln auf dem Grund. Sie hatte Braquemart erstiegen und auf den Hochplateaus Ruinen von Fürstenschlössern und Sonnentempeln aufgefunden, deren Alter er als vor der Zeit bezeichnete. Nachdem er ihre Maße und ihre Eigenart beschrieben hatte, ließ er das Land im Bilde auferstehen. Er zeigte die fetten grünen Weidegründe, auf denen, so weit das Auge reichte, die Hirten und die Akkerbauern mit ihren Herden saßen und über ihnen auf den Porphyrtürmen im roten Prunk die Adlernester der Urgebieter dieser Welt. Auch ließ er den längst versiegten Strom die Schiffe mit den Purpurdecks hinunterfahren; man sah die hundert Ruder mit insektenhaftem Regelmaß ins Wasser tauchen und hörte den Klang der Becken und der Geißel, die auf den Rücken der unglückseligen Galeerensklaven fiel. Das waren Bilder für Braquemart. Er zählte zum Schlage der konkreten Träumer, der sehr gefährlich ist.

Den jungen Fürsten sahen wir abwesend in ganz anderer Art. Er mochte zwanzig Jahre kaum überschritten haben, doch stand zu diesem Alter ein Ausdruck schweren Leidens, den wir an ihm bemerkten, in sonderbarem Gegensatz. Obwohl er hoch gewachsen war, hielt er sich tief gebeugt, als ob die Größe ihm Schwierigkeit bereitete. Auch schien er kaum zu hören, was wir verhandelten. Ich hatte den Eindruck, daß hohes Alter und große Jugend sich in ihm vereinten — das Alter des Geschlechtes und die Jugend der Person. In seinem Wesen war die Dekadenz tief ausgebildet; man merkte an ihm den Zug alt angestammter Größe und auch den Gegenzug, wie ihn die Erde auf alles Erbe übt — denn Erbe ist Totengut.

Ich hatte wohl erwartet, daß in der letzten Phase des Ringens um die Marina der Adel in Erscheinung treten würde — denn in den edlen Herzen brennt das Leiden des Volkes am heißesten. Wenn das Gefühl für Recht und Sitte schwindet und wenn der Schrecken die Sinne trübt, dann sind die Kräfte der Eintagsmenschen gar bald versiegt. Doch in den alten Stämmen lebt die Kenntnis des wahren und legitimen Maßes, und aus ihnen brechen die neuen Sprossen der Gerechtigkeit hervor. Aus diesem Grunde wird bei allen Völkern dem edlen Blute der Vorrang eingeräumt. Doch hatte ich geglaubt, daß eines Tages aus den Schlössern und Burgen sich Bewaffnete erheben würden als ritterliche Führer im Freiheitskampf. Statt dessen sah ich diesen frühen Greis, der selbst der Stütze bedürftig war und dessen Anblick mir vollends deutlich machte, wie weit der Untergang schon vorgeschritten war. Und dennoch schien es wunderbar, daß dieser müde Träumer sich berufen fühlte, Schutz zu gewähren — so drängen die Schwächsten und die Reinsten sich zu den ehernen Gewichten dieser Welt.

Ich hatte schon unten vor der Pforte geahnt, was diese beiden mit abgeblendeten Laternen zu uns führte, und auch mein Bruder Otho schien es zu wissen, ehe noch ein Wort gefallen war. Dann bat uns Braquemart um eine Schilderung der Lage, die Bruder Otho ihm bis ins einzelne erstattete. Der Art, in der sie Braquemart ergriff, war zu entnehmen, daß er über alle Kräfte und Gegenkräfte vortrefflich unterrichtet war. Die Klärung der Lage bis in die feinsten Züge gehört ja zum Handwerk der Mauretanier. Er hatte schon mit Biedenhorn gesprochen, nur Pater Lampros war ihm unbekannt.

Der Fürst hingegen verharrte in gebeugter Träumerei. Selbst die Erwähnung von Köppelsbleek, die Braquemart in Laune versetzte, schien von ihm abzuleiten; nur, als er von der Schändung des Eburnums hörte, fuhr er zornig von seinem Sitz empor. Dann streifte Bruder Otho noch in allgemeinen Sätzen die Meinung, die wir von den Dingen hegten, und das Verhalten, das uns angemessen schien. Dem hörte Braquemart zwar höflich, jedoch mit schlecht verhehltem Spotte zu. Es war ihm von der Stirne abzulesen, daß er uns nur als schwächliche Phantasten betrachtete und daß sein

Urteil schon gebildet war. So gibt es Lagen, in denen jeder jeden für einen Träumer hält.

Es mag nun wunderlich erscheinen, daß Braquemart in diesem Handel dem Alten entgegentreten wollte, obgleich doch beide in ihrem Sinnen und Trachten viel Ähnliches verband. Es ist jedoch ein Fehler, der uns im Denken häufig unterläuft, daß wir bei Gleichheit der Methoden auch auf die gleichen Ziele schließen und auf die Einheit des Willens, der hinter ihnen steht. Darin bestand Verschiedenheit insofern, als der Alte die Marina mit Bestien zu bevölkern im Sinne hatte, indessen Braquemart sie als den Boden für Sklaven und für Sklavenheere betrachtete. Es drehte sich dabei im Grunde um einen der inneren Konflikte unter Mauretaniern, den hier in seinen Einzelheiten zu beschreiben nicht tunlich ist. Es sei nur angedeutet, daß zwischen dem ausgeformten Nihilismus und der wilden Anarchie ein tiefer Gegensatz besteht. Es handelt sich bei diesem Kampfe darum, ob die Menschensiedlung zur Wüste oder zum Urwald umgewandelt werden soll.

Was Braquemart betrifft, so waren alle Züge des späten Nihilismus an ihm sehr ausgeprägt. Ihm war die kalte, wurzellose Intelligenz zu eigen und auch die Neigung zur Utopie. Er faßte wie alle seinesgleichen das Leben als ein Uhrwerk auf, und er erblickte in Gewalt und Schrecken die Antriebsräder der Lebensuhr. Zugleich erging er sich in den Begriffen einer zweiten und künstlichen Natur, berauschte sich am Dufte nachgeahmter Blumen und den Genüssen einer vorgespielten Sinnlichkeit. Die Schöpfung war in seiner Brust getötet und wie ein Spielwerk wieder aufgebaut.

Eisblumen blühten auf seiner Stirn. Wenn man ihn sah, dann mußte man an den tiefen Ausspruch seines Meisters denken: »Die Wüste wächst — weh dem, der Wüsten birgt!«

Und dennoch spürten wir eine leise Neigung zu Braquemart — nicht so sehr deshalb, weil er Herz besaß, denn wenn der Mensch sich den Gesteinen nähert, verringert sich auch das Verdienst, das auf dem Mut beruht. Es war vielmehr ein feiner Schmerz an ihm das Liebenswerte — die Bitterkeit des Menschen, der sein Heil verloren hat. Er suchte sich dafür an der Welt zu rächen, gleichwie ein Kind im eitlem Zorn den bunten Blumenflor zerstört. Auch schonte er nicht sich selbst und drang mit kaltem Mute in die Labyrinthe des Schreckens ein. So suchen wir, wenn uns der Sinn der Heimat verlorenging, die fernen Abenteuerwelten auf.

Im Denken suchte er das Leben nachzuzeichnen und hielt darauf, daß der Gedanke Zähne und Krallen zeigen muß. Doch glichen seine Theorien einem Destillate, in das die eigentliche Lebenskraft nicht überging; es fehlte ihnen das köstliche Ingrediens des Überflusses, das alle Speisen erst schmackhaft macht. Es herrschte Dürre in seinen Plänen, obgleich kein Fehler in der Logik zu finden war. So schwindet der Wohlklang der Glocke durch einen unsichtbaren Sprung. Es lag wohl daran, daß bei ihm die Macht zu sehr in den Gedanken lebte und zu wenig in der Grandezza, in der angeborenen Désinvolture. In dieser Hinsicht war ihm der Oberförster überlegen, der die Gewalt wie einen guten, alten Jagdrock trug, der stets bequemer wird, je öfter er sich mit Schlamm und Blut durchtränkt. Aus diesem Grunde hatte ich auch den Eindruck, daß Braquemart sich auf ein böses

Abenteuer einzulassen auf dem Sprunge stand; bei solchen Treffen wurden die Ethiker noch immer von den Praktikern erlegt.

Wahrscheinlich ahnte Braquemart von seiner Schwäche dem Alten gegenüber und hatte deshalb den jungen Fürsten mitgebracht. Uns schien indessen, daß dieser in ganz anderen Zusammenhängen webte. Daraus ergeben sich oft Bünde wunderlicher Art. Vielleicht war es der Fürst, der Braquemart benutzte, wie man ein Boot zur Überfahrt benutzt. In diesem schwachen Körper lebte ein starker Zug aufs Leiden zu, und wie im Traume hielt er, fast ohne Überlegung und doch mit Sicherheit, die Richtung ein. Es raffen, wenn im Felde das Horn zum Angriff ruft, die guten Krieger sich sterbend noch vom Boden auf.

Mit Bruder Otho dachte ich später oft an dies Gespräch zurück, das unter keinem guten Sterne stand. Der Fürst sprach kaum ein Wort, und Braquemart entfaltete die unduldsame Überlegenheit, an der man den Techniker erkennt. Man sah ihm an, daß er sich im geheimen über unsere Bedenken lustig machte, und ohne daß er über seine Pläne ein Wort verloren hätte, fragte er uns nach der Lage der Wälder und der Weidegründe aus. Auch zeigte er sich begierig nach Einzelheiten über des Adepten Fortunio Abenteuer und Untergang. Wir sahen aus seinen Fragen, daß er dort zu erkunden oder auch zu operieren plante, und ahnten, daß er das Übel verschlimmern würde wie ein schlechter Arzt. Es war doch schließlich kein Zufall und kein Abenteuer, daß der Alte mit dem Lemurenvolke aus dem Wälderdunkel herauszutreten begann und Wirksamkeit entfaltete. Gelichter dieser Art ward früher gleich Gaudieben abgefertigt, und sein Erstarken deutete auf tiefe Veränderungen in der Ordnung, in der Gesundheit, ja im Heile des Volkes hin. Hier galt es anzusetzen, und daher taten Ordner not und neue Theologen, denen das Übel von den Erscheinungen bis in die feinsten Wurzeln deutlich war; dann erst der Hieb des konsekrierten Schwertes, der wie ein Blitz die Finsternis durchdringt. Aus diesem Grunde mußten die einzelnen auch klarer und stärker in der Bindung leben als je zuvor — als Sammler an einem neuen Schatz von Legitimität. Man lebt doch schon auf besondere Weise, wenn man nur einen kurzen Lauf gewinnen will. Hier aber galt es das hohe Leben, die Freiheit und die Menschenwürde selbst. Dergleichen Pläne freilich hielt Braquemart, da er dem Alten mit gleicher Münze heimzuzahlen gedachte, für eitlen Firlefanz. Er hatte die Achtung vor sich selbst verloren, und damit fängt alles Unheil unter Menschen an.

Fast bis zum Morgengrauen sprachen wir fruchtlos hin und her. Wenn wir uns in den Worten nicht verstanden, so ging uns doch im Schweigen vieles auf. Vor der Entscheidung treffen sich die Geister wie die Ärzte am Krankenbett. Der eine möchte zum Messer greifen, der andere will den Kranken schonen, und der Dritte sinnt auf Mittel von besonderer Art. Doch was sind Menschenrat und -wille, wenn in den Sternen schon der Untergang beschlossen liegt? Indessen hält man Kriegsrat auch vor verlorener Schlacht.

Der Fürst und Braquemart gedachten noch am gleichen Tage die Weidegründe aufzusuchen, und da sie weder Führung noch Begleitung annehmen wollten, empfahlen wir ihnen den alten Belovar. Dann gaben wir den beiden bis an die Stufen der Marmorklippenstiege das Geleit. Wir nahmen förmlich Abschied, wie man es pflegt, wenn die Begegnung ohne Wärme und ohne Frucht verlief. Doch schloß sich noch eine stumme Szene an. Die beiden blieben im ersten Dämmerlichte an den Klippen stehen und musterten uns schweigend eine lange Zeit. Schon stieg die Morgenkühle auf, in der die Dinge für eine kurze Spanne dem Auge sichtbar werden, als ob sie sich aus ihrem Ursprung entfalteten, neu und geheimnisvoll. In solchem Schimmer standen auch der Fürst und Braquemart. Mir schien, daß Braquemart den überlegenen Spott verloren hatte und menschlich lächelte. Der junge Fürst hingegen hatte sich aufgerichtet und blickte uns heiter an — als ob er um die Lösung eines Rätsels wüßte, das uns beschäftigte. Das Schweigen währte eine lange Zeit, dann faßte Bruder Otho noch einmal nach des Fürsten Hand und beugte sich tief auf sie hinab.

Nachdem die beiden am Zinnenrande der Marmorklippen dem Blick entschwunden waren, suchte ich noch, bevor ich mich zur Ruhe legte, die Goldbandlilie auf. Die feinen Staubgefäße waren schon beflogen, und die grüngoldene Tiefe des Kelches war mit Purpurstaub befleckt. Ihn hatten wohl die großen Nachtpapillonen beim Hochzeitsschmaus verstreut.

So fließen aus jeder Stunde Süße und Bitterkeit. Und während ich mich über die betauten Blütenkelche beugte, ertönte aus fernen Vorgehölzen der erste Kuckucksruf.

21

Den Vormittag verbrachten wir in Sorge, indes der Wagen verlassen vor unserer Pforte stand. Beim Frühstück reichte Lampusa uns einen Zettel von Phyllobius, aus dem wir sahen, daß der Besuch ihm nicht entgangen war. Er bat uns darin, den Fürsten dringend in das Kloster einzuladen; Lampusa hatte die Bestellung unheilvoll versäumt.

Am Mittag kam der alte Belovar, um uns zu melden, daß der junge Fürst mit Braquemart in aller Frühe auf seinem Hof erschienen war. Dort hatte ihn Braquemart, indem er ein bemaltes Pergament studierte, nach Punkten in den Wäldern ausgefragt. Dann waren sie wieder aufgebrochen, und der Alte hatte ihnen aus seiner Sippe Späher nachgesandt. Die beiden waren in dem Striche zwischen dem Fillerhorne und dem Vorgehölz des Roten Stieres in die Wälder eingetaucht.

Die Nachricht lehrte uns, daß Schlimmes zu erwarten stand, und lieber hätten wir gesehen, daß die beiden mit den Knechten und Söhnen des Alten aufgebrochen wären, wie es ihnen angeboten war. Wir kannten den Grundsatz Braquemarts, niemand sei fürchterlicher als der einzelne von Rang, und hielten es für möglich, daß sie den alten Blutfürsten selbst auf seinem Prunkhof heimsuchen würden, um ihn zu bestehen. Dann aber gerieten sie in die Netze der Dämonenmacht — wir ahnten, daß schon Lampusas Säumnis mit den Zugfäden dieser Netze in Beziehung stand. Wir dachten an Fortunios Schicksal, der doch ein Mensch von großen Gaben gewesen war und der sich lange mit den Wäldern beschäftigt hatte, ehe er in sie vorgestoßen war. Es war wohl seine Karte, die nach manchem Umweg in den Besitz von Braquemart geraten war. Wir hatten nach Fortunios Tode lange nach ihr gefahndet und erfahren, daß sie in Schatzgräberhände gefallen war.

Die beiden waren unvorbereitet und ohne Führung in die Gefahr gegangen, wie man in bloße Abenteuer zieht. Sie gingen gleich halben Menschen — dort Braquemart, der reine Techniker der Macht, der immer nur kleine Teile und nie die Wurzeln der Dinge sah, und hier der Fürst Sunmyra, der edle Geist, der die gerechte Ordnung kannte, doch einem Kinde gleich, das sich in Wälder, in denen Wölfe heulen, wagt. Doch schien uns möglich, daß Pater Lampros beide auf eine tiefe Weise hätte ändern und einen können, wie es durch die Mysterien geschieht. Wir teilten ihm auf einem Zettel die Lage der Dinge mit und sandten Erio eilig zum Kloster der Falcifera.

Seitdem der Fürst und Braquemart bei uns erschienen waren, fühlten wir uns beklommen, doch sahen wir die Dinge nun schärfer als bisher. Wir spürten, daß sie kulminierten und daß wir würden schwimmen müssen, wie man im Strudel durch einen Engpaß schwimmt. Nun hielten wir es für an der Zeit, den Spiegel Nigromontans bereitzuhalten, und wollten durch ihn das Licht entzünden, solange die Sonne noch günstig stand. Wir stiegen auf den Altan und flammten auf die vorgeschriebene Weise am Himmelsfeuer durch die kristallene Scheibe die Leuchte an. Mit hoher Freude sahen wir die blaue Flamme sich niedersenken und bargen Spiegel und Leuchte in der Nische, in der die Laren stehen.

Noch waren wir beschäftigt, uns wieder umzukleiden, als Erio mit der Antwort des Mönches wiederkam. Er hatte den Pater im Gebet getroffen, der ihm sogleich und ohne daß er unseren Zettel gelesen hätte, ein Schreiben übergab. So überreicht man Ordres, die seit langem versiegelt in Bereitschaft sind.

Wir sahen, daß die Botschaft zum ersten Male mit Lampros unterzeichnet war; auch war das Wappen mit dem Spruche »meyn geduld hat ursach« ihr beigefügt. Zum ersten Male war auch von Pflanzen in ihr nicht die Rede, sondern der Pater bat mich in kurzen Worten, den Fürsten aufzusuchen und für ihn zu sorgen, auch fügte er hinzu, ich möchte nicht ohne Waffen gehen.

Da galt es, eilig sich zu rüsten, und ich legte, mit Bruder Otho hastige Sätze wechselnd, den alten und langbewährten Jagdrock an, der jeder Dorne gewachsen war. Mit Waffen freilich war es in der Rautenklause schlecht bestellt. Nur über dem Kamin hing eine Flinte, wie man sich ihrer zur Entenjagd bedient, doch mit gekürztem Lauf. Wir hatten sie auf unseren Reisen hin und wieder benutzt, um auf Reptilien zu schießen, die harte Haut und zähes Leben vereinigen und die ein grober Hagel weit sicherer als der beste Büchsenschuß erlegt. Wenn sie mein Auge streifte, rief die Erinnerung in mir die Moschuswitterung hervor, wie sie im heißen Uferdickicht dem Jäger, der sich den Landungsplätzen der großen Echsen nähert, entgegenströmt. Für Stunden, in denen Land und Wasser in der Dämmerung verfließen, hatten wir auf den Lauf ein Silberkorn gesetzt. Dies war das einzige Gerät, das wir in unserem Hause Waffe nennen konnten; ich nahm es daher an mich, und Bruder Otho hing mir die große Ledertasche um, auf deren Klappe Schlingen für erlegte Vögel gesponnen waren, indes im Inneren ein aufgenähter Gurt Patronen hielt.

In solcher Eile greifen wir nach dem ersten, was sich uns bietet; auch hatte Pater Lampros mir die Waffe wohl mehr zum Zeichen der Freiheit und der Feindschaft vorgeschrieben — wie man als Freund mit Blumen kommt. Der gute Degen, den ich bei den Purpurreitern führte, hing hoch im Norden im Vaterhaus; doch hätte ich ihn zu solchem Gange nie gewählt. Er hatte in heißen Reiterschlachten, wenn die Erde unter dem Hufschlag donnert und die Brust sich herrlich weitet, im Sonnenschein geblitzt. Ihn hatte ich gezückt im leichten, wiegenden Angalopp, bei dem die Waffen erst leise und dann immer stärker klirren, indes das Auge im feindlichen Geschwader bereits den Gegner wählt. Auch hatte ich mich auf ihn verlassen in jenen Augenblicken des Einzelkampfes, in denen man im Getümmel die weite Ebene durchsprengt und viele Sättel schon ledig sieht. Da gab es manchen Hieb, der auf das Stichblatt fränkischer Rapiere und auf den Bügel schottischer Säbel fiel — doch manchen auch, bei dem das Handgelenk den weichen Widerstand der Blöße fühlte, an der die Klinge ins Leben schnitt. Doch alle diese, und selbst die freien Söhne der Barbarenstämme, waren edle Männer, die ihre Brust fürs Vaterland dem Eisen boten; und gegen jeden hätten wir beim Gelage das Glas erheben können, wie man es Brüdern tut. Die Tapferen dieser Erde machen im Streite die Grenzen der Freiheit aus; und Waffen, die man gegen solche zückte, die führt man gegen

Schinder und Schinderknechte nicht.

In Eile nahm ich von Bruder Otho Abschied und auch von Erio. Ich faßte es als gutes Zeichen, daß der Knabe mich dabei mit heiterer Sicherheit betrachtete. Dann machte ich mich mit dem alten Hirten auf den Weg.

22

Als wir den großen Weidehof erreichten, brach schon die Dämmerung herein. Von weitem erkannten wir bereits, daß dort Unruhe herrschte; die Ställe leuchteten im Schein von Fackeln und dröhnten vom Gebrüll des Viehes, das hastig eingetrieben war. Wir trafen einen Teil der Hirten in Waffen und erfuhren, daß andere noch in entfernten Gründen der Campagna weilten, wo Vieh zu bergen war. Im Hof empfing uns Sombor, der erste Sohn des Alten, ein Riese mit rotem Vollbart und mit einer Geißel, an deren Riemen bleierne Kugeln hingen, in der Hand. Er meldete, daß um die Mittagsstunde in den Wäldern Unruhe aufgekommen war; man hatte Rauch aufsteigen sehen und Lärm gehört. Dann waren aus den Moorgebüschen entlang dem Fillerhorne Scharen von Feuerwürmern und von Jägern hervorgetreten und hatten eine Herde abgetrieben, die dort im Vorwerk lag. Zwar hatte Sombor ihnen noch im Moore einen Teil der Beute wieder abgenommen, doch hatte er dabei auch Scharen von Förstern festgestellt, so daß ein Unternehmen zu erwarten stand. Inzwischen hatten seine Späher auch an anderen Punkten, wie bei dem Vorgehölze des Roten Stieres, und selbst in unserem Rücken Streiftrupps und Einzelgänger ausgemacht. So hatte uns unser gutes Glück, noch eben ehe wir abgeschnitten wurden, bis auf den Hof gebracht.

Bei diesem Stand der Dinge konnte ich nicht erwarten, daß Belovar mich bei dem Vorstoß in die Wälder begleiten würde, und fand es billig, daß er sich um sein Gut und um die Seinen kümmerte. Da kannte ich jedoch den alten Streiter noch immer nicht gut genug und nicht den Eifer, des er für Freunde fähig war. Sogleich verschwur er sich, daß Haus und Stall und Scheuern bis auf den Grund verbrennen sollten, ehe er mich an diesem Tage auch nur für einen Schritt alleine ließe, und übertrug dem Sohne Sombor die Sorge um den Hof. Bei diesen Worten berührten die Weiber, die schon die Kostbarkeiten aus dem Hause schleppten, eilig Holz und drängten sich klagend an uns heran. Dann trat die Bestemutter auf uns zu und tastete und mit den Händen von Kopf zu Füßen ab. An meiner rechten Schulter fanden die Finger Widerstand, doch glitten sie beim zweiten Male eben darüber hin. Als sie jedoch die Stirn des Sohnes berührte, faßte sie ein Schrecken, und sie verhüllte ihr Gesicht. Da warf das junge Weibchen sich dem Alten an die Brust, mit schrillem Wehruf, wie man ihn bei der Totenklage hört.

Dem Alten aber fehlte der Sinn für Weibertränen, wenn es ins Treffen ging und wenn die erste Trunkenheit des Kampfes ihm schon im Blute lag. Er schaffte sich mit beiden Armen Raum, so wie ein Schwimmer die Wogen teilt, und rief mit lauter Stimme Söhne und Knechte namentlich zum Kampfe auf. Er wählte nur eine Streifschar aus, indes er alle anderen dem Sohne Sombor zur Sicherung des Hofes überließ. Doch suchte er nur solche aus, die in den Sippen-kämpfen schon ihren Mann getötet hatten und die er seine Hähnchen nannte, wenn er bei Laune war. Sie kamen mit Lederkollern und Lederhauben und mit dem ungefügen Rüstzeug, wie man es in den Waffenkammern der Weide-höfe seit der Urväter Zeiten aufbewahrt. Da sah man im Fackelscheine Hellebarden und Morgensterne und schwere Stangen, die scharfe Äxte und Sägespieße trugen, auch Pi-ken, Mauerreißer und angeschliffene Haken mannig-facher Art. Damit gedachte der Alte das Waldgelichter aus-zuputzen und auszufegen nach Herzenslust.

Dann stießen die Hundeknechte die Zwinger auf, in de-nen heulend schon die Meuten lärmten — die schlanken Hetzer und die schweren Beißer, mit hellem und dunkelem Geläut. Hechelnd und knurrend schossen sie hervor, den Hof erfüllend, an ihrer Spitze der schwere Leithund Leontodon. Er sprang an Belovar empor und setzte ihm winselnd die Pranken auf die Schultern, obwohl der Alte ein Riese war. Die Knechte ließen sie reichlich trinken und gos-sen ihnen aus einer Metzelschüssel zum Lecken Blut auf den Estrich aus.

Die beiden Meuten waren des Alten Stolz, und sicher war es zum guten Teile ihnen zu verdanken, daß das Gelichter aus den Tannichtdörfern in diesen Jahren seinen Grund in weitem Bogen mied. Für seine leichte hatte er den schnellen Steppenwindhund fortgezüchtet, mit dem der freie Araber sein Lager teilt und dessen Junge sein Weib an ihren Brüsten säugt. An diesen Windspielkörpern war jeder Muskelzug so sichtbar, als hätte ein Zergliederer sie abgewirkt, und die

Bewegung war in ihnen so übermächtig, daß sie noch in den Träumen ein stetes Zittern überlief. Es gab von allen Läufern dieser Erde nur den Geparden, der sie überflügeln konnte, und auch dieser nur auf der kurzen Bahn. Sie jagten die Beute zu Paaren, indem sie die Bogen schnitten, und machten sie an den Schultern fest. Doch gab es auch Solofänger, die ihr Opfer am Halse niederrissen und hielten, bis der Jäger kam.

In seiner schweren Meute zog der Alte die Molosser Dogge, ein herrliches, lichtgelb und schwarz gestromtes Tier. Die Unerschrockenheit, die dieser Rasse eignet, wurde durch eingekreuztes Blut der Tibetdogge noch erhöht, die man in römischen Arenen gegen Auerochsen und Löwen kämpfen ließ. Der Einschlag zeigte sich durch die Größe, die stolze Haltung und die Rute, die nach Standartenart getragen wurde, an. Fast alle diese Beißer trugen schwere Risse in den Decken — Denkzettel von Brantenhieben auf der Bärenhatz. Der Großbär, wenn er auf die Weiden von Holze ging, mußte sich eng am Waldrand halten, denn wenn die Hetzer ihn erreichten und stellten, fleischten die Packer ihn zu Tode, noch ehe der Jäger Zeit, ihn aufzuschärfen, fand.

Das war ein Wälzen und Knurren und Würgen im Innenhofe, und aus den roten Rachen funkelten uns die schrecklichen Gebisse an. Dazu das Sprühen der Fackeln, das Waffenklirren und die Klage der Weiber, die wie aufgescheuchte Tauben im Hofe flatterten. Das war ein Toben, wie es dem Alten Freude machte, der mit der Rechten wohlgefällig im Barte spielte, indes die Linke den breiten Dolch im roten Gürteltuche tanzen ließ. Auch trug er eine schwere Doppelaxt am Riemen um das Handgelenk.

Dann stürzten die Knechte mit Lederstulpen, die bis an die Schultern reichten, sich auf die Hunde und koppelten sie mit Korallenriemen fest. Wir schritten mit verlöschten Fackeln aus dem Tore und über die letzten Marken den Wäldern zu.

Der Mond war aufgegangen, und in seinem Scheine gab ich mich den Gedanken hin, die uns beschleichen, wenn es ins Ungewisse geht. Erinnerungen herrlicher Morgenstunden stiegen in mir auf, in denen wir bei der Vorhut vor unseren Zügen ritten und hinter uns in kühler Frühe der Chor der jungen Reiter klang. Da fühlten wir das Herz so festlich schlagen, und alle Schätze dieser Erde wären uns gering erschienen gegenüber der nahen Lust am scharfen und ehrenvollen Gang. O welch ein Unterschied war zwischen jenen Stunden und dieser Nacht, in der ich Waffen, die den Krallen und Hörnern von Ungeheuern glichen, im bleichen Lichte glitzern sah. Wir zogen in die Lemurenwälder ohne Menschenrecht und -satzung, in denen kein Ruhm zu ernten war. Und ich empfand die Nichtigkeit von Glanz und Ehre und große Bitterkeit.

Doch war es mir ein Trost, daß ich nicht wie beim ersten Male, als ich Fortunio suchte, im Banne magischer Abenteuer kam, sondern in guter Sache und berufen durch hohe Geistesmacht. Und ich beschloß, mich nicht der Furcht anheimzugeben und nicht dem Übermut.

23

Noch in der Nähe des Hofes teilten wir zum Vormarsch ein. Wir schickten Späher aus und ließen ihnen die Hetzerkoppeln folgen, während der Haupttrupp mit der schweren Meute den Zug beschloß. Das Mondlicht war so hell geworden, daß man in seinem Schein Geschriebenes lesen konnte; daher behielten, solange wir noch auf den Weidegründen schritten, die einzelnen Abteilungen sich leicht in Sicht. Auch sahen wir zu unserer Linken wie schwarze Lanzen die drei hohen Pappeln und in der Front die dunkle Masse des Fillerhornes, so daß sich ohne Mühe die Richtung halten ließ. Wir schritten auf den Bogen zu, in dem die Sichel des Fillerhornes dem hohen Holz entsprang.

Ich hatte meinen Platz zur Seite des alten Bluträchers bei der leichten Meute, und wir behielten von dort die Spitze im Gesicht. Als sie den Schilf- und Erlengürtel erreichte, der das Moor begrenzte, sahen wir sie stutzen, dann drang sie in eine Lücke ein. Kaum war sie unserem Blick entschwunden, da hörten wir ein böses, schwirrendes Schnappen wie von einem Eisenrachen und einen Todesschrei. Die Späher stoben aus den Büschen aufs Feld zurück, indes wir eilig vorwärts strebten, um sie aufzufangen und zu erfahren, was es gab.

Wir fanden die Blöße, durch die die Späher eingedrungen waren, kniehoch mit Ginster und Heidekraut bestellt. Sie glänzte im Mondlicht, und in ihrer Mitte bot sich den Blikken ein schlimmes Schauspiel dar. Gleich einem Wildbret sahen wir dort einen von den jungen Knechten im schweren

Eisenbügel einer Falle aufgehängt. Die Füße berührten kaum den Boden, und Kopf und Arme hingen rücklings ins Kraut hinab. Wir eilten zu ihm und erkannten, daß ihn ein Gimpelfänger ergriffen hatte — wie der Alte die schweren Tellereisen nannte, die er auf Menschenpfaden verborgen stellen ließ. Der scharfe Rand des Bügels hatte ihm die Brust zerschnitten; ein Blick genügte, um zu erfassen, daß Rettung nicht möglich war. Doch spannten wir mit vereinten Kräften die Feder, um den Leichnam aus der Umklammerung zu befreien. Wir fanden dabei, daß der Bügel nach Art der Haifischkiefer mit spitzen Zähnen aus blauem Stahl bewaffnet war, und schlossen, nachdem wir den Toten auf die Heide gebettet hatten, den Rachen behutsam wieder zu.

Es war wohl anzunehmen, daß Spürer die Falle überwachten, und wirklich hörten wir, als wir noch schweigend um das hingestreckte Opfer der niedern Waffe standen, ein Rauschen in den nahen Büschen und dann ein lautes, höhnisches Gelächter in der Nacht. Nun wurde es rege im Mooricht, wie wenn man Krähen am Schlafplatz stört. Es ging ein Brechen und Schleifen durch die Kiefernstücke und ein Rascheln entlang den dunklen Gräben, an denen der Alte die Entenhütten hielt. Zugleich ertönte das Moor von Pfiffen und wüsten Stimmen, als ob ein Rattenschwarm in ihm sein Wesen trieb. Wir hörten, wie das Gesindel sich ermutigte im Zuruf, durch den es im Schlamm der Gossen und der Bagnos sich erkühnt, wenn es der Mehrzahl sicher ist. Und in der Tat schien es in großer Übermacht, denn wir vernahmen die frechen Lieder der Schelmenzünfte nah und fern. Dicht vor uns lärmten die von La Picousière. Sie stapften im Moor und quakten wie Wasserfrösche:

> Cathérine a le craque moisi,
> Des seins pendants,
> Des pieds de cochon,
> La faridondaine.

Und aus dem hohen Besenginster, dem Schilficht und den Weidenbüschen schallte ihnen Antwort zu. In diesem Trubel sahen wir Irrlichter grünlich auf den Tümpeln tanzen, und Wasservögel streiften in scheuem Fluge ab.

Inzwischen war auch der Haupttrupp mit der schweren Meute aufgelaufen, und wir bemerkten, daß vor diesem Spuk den Knechten das Zagen nahe kam. Da war es der alte Belovar, der seine Stimme mächtig erschallen ließ:

»Drauf, Kinder, drauf! Die Lumpenwische halten nicht Stich. Doch nehmt euch vor den Fallen gut in acht!«

Damit begann er, ohne sich umzublicken, vorzugehen, indem er die Schneiden der Doppelaxt im Mondlicht blinken ließ. Da folgten ihm auch die Knechte und brannten, auf die Fallensteller loszugehen. Wir drückten in kleinen Rudeln durch Rohr und Busch und prüften, so gut es ging, den Grund. So suchten wir die Pässe zwischen Teichen, auf deren dunklen Spiegeln die Nixenrosen leuchteten, und schlichen durch dürres Schilf, von dessen schwarzen Kolben die Wolle blätterte. Bald hörten wir die Stimmen ganz nahe und spürten, wie das Sausen von Geschossen uns um die Schläfen strich. Nun mußten die Hundeknechte die Hetzer schärfen, daß ihr Fell sich sträubte und ihre Lichter funkelten wie

Kohlenglut. Dann wurde ihnen Lauf gegeben, und freudig winselnd schossen wie wie bleiche Pfeile durch das nächtliche Gestrüpp.

Der Alte hatte zu Recht vorhergesagt, daß das Gelichter uns nicht trotzen würde — kaum daß die Hunde angeschlagen hatten, hörten wir Klageschreie, die sich flüchtend im Busch verloren, und hinter ihnen das Geläut der Meute, die auf den Spuren zog. Wir eilten im Sturmschritt nach und sahen, daß jenseits des Gestrüpps ein kleines Torfmoor lag, auf dem der Boden eben wie eine Tenne war. Auf diese Fläche hatte das Gesindel sich geflüchtet und strebte im Lauf ums Leben dem nahen Hochwald zu. Ihn konnte indessen nur gewinnen, wer von den Hetzern unbehelligt blieb. Wir sahen viele, die von den Hunden angefallen waren und die sich stellen mußten — gleich bleichen Flammen im Reiche der Verdammten umkreisten die Tiere sie und sprangen gierig an ihnen hoch. Auch waren hier und dort die Fliehenden zu Fall gekommen und lagen am Boden wie gelähmt, denn knurrend hielten die Solofänger sie am Hals.

Nun koppelten die Knechte die schwere Meute los, und heulend stürmten die Bracken in die Nacht. Wir sahen, wie sie ihre Opfer im Ansprung fällten, dann zerrten sie die Beute, die sie sich streitig machten, am Boden hin und her. Die Knechte folgten ihnen und teilten den Fanghieb aus. Da gab es, wie im Inferno, nicht Barmherzigkeit. Sie beugten sich auf die Hingestreckten nieder und warfen den Hunden ihr Jagdrecht zu. Dann schlossen sie mit großer Mühe die Bestien wieder an.

So standen wir im Moore wie auf dem Vorhof zum dunklen Tann. Der alte Belovar war guter Laune; er lobte Knechte und Hunde für ihr Werk und teilte Branntwein aus. Dann drängte er zu neuem Vorstoß, ehe der Wald durch das geflüchtete Gelichter in Aufruhr käme, und ließ mit Beilen eine Bresche in die schwere Hecke legen, die ihn randete. Wir waren nicht weit von jener Stelle, an der ich mit Bruder Otho, um das Rote Waldvögelein zu suchen, eingedrungen war, und planten zunächst den Angriff auf Köppelsbleek.

Bald war die Bresche breit wie ein Scheunentor. Wir steckten Fackeln an und traten wie durch einen dunklen Rachen in den Hochwald ein.

24

Wie rote Säulen glänzten die Stämme im Feuerschein; und senkrecht stieg der Rauch der Fackeln in feinen Fäden, die sich in großer Höhe zum Baldachin verwoben, in die unbewegte Luft. Wir schritten in breiter Ordnung, die sich durch die gestürzten Stämme bald drängte und bald auseinanderzog. Doch hielten wir uns durch die Fackeln in guter Sicht. Zur Sicherung der Fährte hatte der Alte Säcke voll Kreide mitgenommen, aus denen er unseren Marsch durch eine helle Spur bezeichnen ließ. So trug er Sorge, daß uns der Ausschlupf nicht verlorenging.

Die Hunde zogen in Richtung auf Köppelsbleek, wie sie ja immer der Ruch von Höllen und Schinderwelten lockt. Durch ihre Führung gewannen wir schnell an Feld und kamen leicht voran. Nur hin und wieder strich aus den Wipfelnestern mit schwerem Flügelschlag ein Vogel ab. Und lautlos kreisten Schwärme von Fledermäusen im Fackelschein.

Bald glaubte ich den Hügel an der Lichtung zu erkennen; er glänzte im matten Widerstrahle einer Feuersglut. Wir machten halt und hörten nun auch Stimmen herüberdringen, doch nicht so prahlend wie vorhin im Moor. Es schien, daß dort Abteilungen von Förstern die Wälder sicherten, und Belovar gedachte, mit ihnen auf die gleiche Weise aufzuräumen wie mit dem Gaunervolk. Er zog die Hetzer vor und ließ sie wie zum Wettlauf in eine Linie stellen, dann sandte er sie als leuchtende Geschosse in die Nacht. Indes sie hechelnd durch die Büsche fuhren, hörten wir drüben Pfiffe und dann ein Heulen, als ob der Wilde Jäger selbst erschienen wäre, der sie empfing. Sie waren auf die Bluthundmeute aufgelaufen, die der Oberförster in seinen Zwingern hielt.

Fortunio hatte mir über diese rüden Beißer und ihre Wut und Stärke einst Dinge, die an die Fabel streiften, mitgeteilt. In ihnen hatte der Oberförster die Kubadogge fortgezüchtet, die rote Farbe und schwarze Maske trägt. Die Spanier hatten diese Fetzer vor Zeiten abgerichtet, Indianer zu zerreißen, und hatten sie in alle Länder ausgeführt, in denen es Sklaven und Sklavenhalter gibt. Mit ihrer Hilfe hatte man auch die Schwarzen von Jamaika, die ihren Aufstand mit der Waffe bereits gewonnen hatten, ins Joch zurückgeführt. Ihr Anblick wird als fürchterlich beschrieben, denn die Empörer, die das Eisen und das Feuer verachtet hatten, boten, kaum daß die Sklavenjäger mit den Koppeln gelandet waren, die Unterwerfung an. Das Leittier der roten Meute war Chiffon Rouge, dem Oberförster teuer, weil er in gerader

Linie von dem Bluthund Becerillo stammte, dessen Name mit der Eroberung von Kuba so unheilvoll verbunden ist. Es wird berichtet, daß sein Herr, der Hauptmann Jago de Senazda, seinen Gästen zum Augenschmause gefangene Indianerinnen von ihm in Stücke reißen ließ. Stets kehren in der menschlichen Geschichte die Punkte wieder, an denen sie in reines Dämonenwesen abzugleiten droht.

Bei diesen fürchterlichen Rufen erkannten wir, daß unsere leichte Meute, noch ehe wir Hilfe schicken konnten, verloren war. Sie mußte um so schneller vernichtet werden, als sie aus reinem Blute stammte, das bis zum Tode kämpft, anstatt zurückzugehen. Wir hörten die roten Koppeln, nachdem sie angeschlagen hatten, packen; und in dem Maße, in dem ihr Heulen lechzend in Fell und Fleisch verstummte, erstickte winselnd der helle Windspielruf.

Der alte Belovar, der seine edlen Tiere im Nu geopfert sah, begann zu toben und zu maledeien und durfte doch nicht wagen, ihnen noch die Molosser nachzuwerfen, denn diese blieben jetzt unsere stärkste Karte im ungewissen Spiel. Er rief den Knechten zu, sich wohl zu rüsten, und diese rieben Brust und Lefzen der großen Tiere mit Bilsenbranntwein ein und halsten ihnen zum Schutz die Stachelgurte um. Die anderen steckten zum Kampf die Fackeln an tote Äste auf.

Das war im Nu geschehen, und schon, kaum daß wir wieder Stand gefaßt, brach wie ein Wetter die rote Meute über uns herein. Wir hörten sie durch die dunklen Büsche brechen, dann sprangen die Bestien in den Umkreis, auf dem der Fackelschein wie Kohlenschimmer lag. Die Spitze hielt

Chiffon Rouge, um dessen Hals ein Fächer von scharfen Klingen funkelte. Er hielt den Kopf gesenkt und ließ die Zunge geifernd am Boden wehen; die Lichter blinkten spähend von unten her. Von weitem sah man die gebleckten Reißer blenden, von denen das untere Paar gleich Hauern die Lefzen überstand. Das Ungeheuer sprang trotz seiner Schwere in leichten Sätzen vor — in queren, tänzelnden Fluchten, als ob es im Übermaß der Kraft verschmähte, uns in gestrecktem Laufe anzugehen. Und hinter ihm erschien in schwarz- und roter Zeichnung die Bluthundmeute im Fackelschein.

Bei diesem Anblick erschollen Schreckensschreie, und Rufe nach den Molossern wurden laut. Ich sah den alten Belovar voll Sorge nach seinen Packern blicken, doch zogen die stolzen Tiere, die Augen scharf nach vorn gerichtet und die Ohren hoch aufgestellt, in unerschrockener Haltung die Koppel an. Da lachte der Alte mir zu und gab das Zeichen, und wie von einer scharf gespannten Sehne abgeschossen, flogen die gelben Doggen auf die roten zu. An ihrer Spitze stürzte sich Leontodon auf Chiffon Rouge.

Nun gab es unter den Riesenstämmen im roten Lichte ein Heulen und Frohlocken, als ob das Wilde Heer vorüberzöge, und heiße Mordgier breitete sich aus. In dunklen Massen wälzten und zerrten die Tiere sich am Boden, und andere, die einander hetzten, umfuhren unseren Stand in weitem Kreis. Wir suchten in das Gemetzel, dessen Tosen die Luft erfüllte, einzugreifen, doch war es schwierig, die roten Doggen mit Stichen und Schüssen zu erreichen, ohne auch die Molosser zu beschädigen. Nur dort, wo uns die Jagd gleich einer Ringelbahn umkreiste, gelang es, die Figuren getrennt aufs Korn zu bringen und krumm zu machen, wie man auf Flugwild schießt. Hier zeigte sich, daß ich mit meiner Waffe, ohne es zu ahnen, die beste Wahl getroffen hatte, die möglich war. Ich suchte abzukommen, wenn das Auge über dem Silberkorne die schwarze Maske sah, und war dann sicher, daß sich das Tier im Feuer streckte, ohne noch einen Zuck zu tun.

Aber auch drüben, auf der anderen Seite, sahen wir Schüsse blitzen und errieten, daß man dort die Molosser aus der Hetzbahn schoß. Auf diese Weise glich das Scharmützel einem Jagen, das sich ellipsenförmig um zwei Feuerpunkte schloß, indes die große Meute auf der kurzen Achse im Kampfe lag. Die Bahn erhellte sich im Verlauf des Treffens durch Feuersäulen, denn wo die Fackeln zu Boden fielen, da flammte lohend das dürre Buschwerk auf.

Bald zeigte sich, daß die Molosser dem Bluthund überlegen waren, zwar nicht an Stärke des Gebisses, wohl aber an Schwere und Angriffskraft. Doch waren die roten Doggen in der Überzahl. Auch schien es, daß von drüben noch frische Koppeln in das Treiben geworfen wurden, denn es fiel uns immer schwerer, den Hunden beizustehen. Der Bluthund nämlich war sorgsam abgerichtet, den Menschen aufzusuchen, den der Oberförster als bestes Wild bezeichnete; und als die Anzahl der Molosser nicht mehr genügte, lenkte die Sorge für unsere Sicherheit die Blicke vom Jagen ab. Bald aus den dunklen Büschen, bald aus dem Qualm der Feuerbrände schoß eins der roten Tiere auf uns zu, und Schreie kündeten es an. Da mußten wir eilig sorgen, daß es im Ansprung auf der Strecke blieb — doch wurde manches erst von den Spießen der Knechte aufgefangen, und auf manches sauste die Doppelaxt des alten Belovar hernieder, wenn es schon lechzend auf dem Opfer lag.

Schon sahen wir die ersten bösen Risse leuchten; auch schien es mir, als ob die Rufe der Knechte heftiger und aufgeregter würden — in solchen Lagen kündet ein Unterton wie leises Weinen, daß die Verzweiflung sich zu nähern droht. In diese Rufe mischte sich das Geheul der Meuten, das Knallen der Schüsse und das Geistern der Flammen ein. Dann hörten wir aus dem Tannicht ein mächtiges Gelächter schallen, ein röhrendes Joho, das uns verkündete, daß nun der Oberförster im Treiben war. In diesem Lachen erklang die fürchterliche Jovialität des Menschenjägers, der sein Revier begeht. Der Alte gehörte noch zu den großen Herren, die hoch frohlocken, wenn man ihnen trotzt. Der Schrecken war sein Element.

In diesem Trubel begann mir heiß zu werden, und ich fühlte, daß die Erregung auf mich übersprang. Da tauchte, wie schon oft in solchen Lagen, das Bildnis meines alten Waffenmeisters van Kerkhoven mir im Geiste auf. Dieser, ein kleiner Flame mit rotem Barte, der mich im Fußdienst abgerichtet hatte, pflegte oft zu sagen, daß ein gezielter Schuß zehn andere überwiege, die man zu hastig aus dem Laufe wirft. Auch prägte er mir ein, an jenen Punkten des Gefechtes, an denen der Schrecken sich verbreiten würde, den Zeigefinger gestreckt zu halten und ruhig Luft zu schöpfen — denn jener sei am stärksten, der gut geatmet hat.

Dieser Kerkhoven also tauchte vor mir auf — denn jede

echte Lehre ist Geistessache, und die Ebenbilder der guten Lehrer stehen uns in der Drangsal bei. Und wie dereinst im Norden vor dem Scheibenstande setzte ich ab, um langsam durchzuatmen, und fühlte, wie sogleich der Blick sich klärte und die Brust mir freier ward.

Mißlich vor allem, als das Treffen sich zum Bösen wandte, war, daß der Qualm uns immer mehr das Schußfeld nahm. Nun wurden die Kämpfer vereinzelt, und die Dinge tauchten ins Ungewisse ein. Aus immer kürzerer Entfernung brachen die roten Doggen vor. So sah ich mehr als einmal Chiffon Rouge an meinem Stand vorüberwechseln, doch suchte das kluge Ungeheuer, sowie ich in Anschlag gehen wollte, die Deckung auf. Da faßte mich die Jagdgier, und der Eifer, die Lieblingsdogge des Oberförsters zu erlegen, verführte mich, ihr nachzuspringen, als ich sie wieder im Qualm verschwinden sah, der wie ein breiter Bach an mir vorüberfloß.

25

Im dichten Rauche glaubte ich hin und wieder das Untier schattenhaft zu sehen, doch stets zu flüchtig zum wohlgezielten Schuß. Auch narrten mich Trugbilder in den Wirbeln, so daß ich endlich lauschend im Ungewissen stehen blieb. Da hörte ich ein Knistern, und mich packte der Gedanke, daß die Bestie einen Haken geschlagen haben könnte, um mich von hinten anzugehen. Um mich zu sichern, kniete ich mit vorgehaltener Flinte nieder und wählte zur

Rückendeckung einen Dornenbusch.

Wie sich in solchen Lagen unser Auge oft an geringe Dinge heftet, so sah ich an der Stelle, an der ich kniete, im toten Laub ein Kräutlein blühen und erkannte in ihm das Rote Waldvögelein. Ich mußte mich also an dem Ort befinden, zu dem ich mit Bruder Otho vorgestoßen war, und damit dicht vor der Hügelspitze bei Köppelsbleek. Und wirklich gelang es mir, mit wenig Schritten die kleine Kuppe zu erreichen, die sich wie eine Insel aus dem Rauch erhob.

Von ihrem Rücken sah ich die Rodung bei Köppelsbleek im matten Scheine leuchten, doch wurde zugleich mein Blick fern in die Wäldertiefe auf einen Feuerpunkt gelenkt. Dort sah ich, winzig und wie aus rotem Filigran gebildet, ein Schloß mit Zinnen und runden Türmen in Flammen stehen; und ich entsann mich, daß auf Fortunios Karte diese Stelle als »Südliche Residenz« bezeichnet war. Die Feuersbrunst verriet mir, daß der Angriff des Fürsten und Braquemarts bis an die Stufen des Palastes gelangt sein mußte; und wie immer, wenn wir die Wirkung kühner Taten sehen, hob ein Gefühl der Freude mir die Brust. Zugleich indessen fiel mir das triumphierende Gelächter des Oberförsters ein, und eilig spähte mein Blick auf Köppelsbleek. Dort sah ich Dinge, die mich erblassen ließen in ihrer Schändlichkeit.

Die Feuer, die Köppelsbleek erhellten, waren noch glühend, doch wie mit Silberkuppen von einer weißen Aschenschicht bedeckt. Ihr Schimmer fiel auf die Schinderhütte, die weit geöffnet stand, und färbte den Schädel, der am Giebel glänzte, mit rotem Licht. Aus Spuren, die sowohl den Boden um die Feuerstätten als auch das Innere der üblen Höhle zeichneten und die ich nicht schildern will, war zu erraten, daß die Lemuren hier eines ihrer schauerlichen Feste abgehalten hatten, dessen Nachglanz noch auf dem Orte lag. Wir Menschen blicken mit angehaltnem Atem und wie durch Spalten auf solchen Spuk.

Nur so viel sei verraten, daß mein Auge unter all den alten und längst entfleischten Köpfen auch zwei neue, an Stangen hoch aufgesteckte entdecken mußte — die Köpfe des Fürsten und Braquemarts. Sie blickten von ihren Eisenspitzen, von denen sich Haken krümmten, auf die Feuersgluten, die weiß verblätterten. Dem jungen Fürsten war nun das Haar gebleicht, doch fand ich seine Züge noch edler und von jener höchsten, sublimen Schönheit, die nur das Leid erzeugt.

Ich fühlte bei diesem Anblick die Tränen mir in die Augen schießen — doch jene Tränen, in welchen mit der Trauer uns herrlich die Begeisterung ergreift. Auf dieser bleichen Maske, von der die abgeschundene Haut in Fetzen herunterhing und die aus der Erhöhung am Marterpfahle auf die Feuer herniederblickte, spielte der Schatten eines Lächelns von höchster Süße und Heiterkeit, und ich erriet, wie von dem hohen Menschen an diesem Tage Schritt für Schritt die Schwäche abgefallen war — so wie die Lumpen von einem König, der als Bettler verkleidet ging. Da faßte mich ein Schauer im Innersten, denn ich begriff, daß dieser seiner frühen Ahnen und Bezwinger von Ungeheuern würdig war; er hatte den Drachen Furcht in seiner Brust erlegt. Hier wurde mir gewiß, woran ich oft gezweifelt hatte: es gab noch Edle unter uns, in deren Herzen die Kenntnis der großen Ordnung lebte und sich bestätigte. Und wie das hohe Beispiel uns zur Gefolgschaft führt, so schwur ich vor diesem Haupt mir zu, in aller Zukunft lieber mit den Freien einsam zu fallen, als mit den Knechten im Triumph zu gehen.

Die Züge von Braquemart dagegen sahen ganz unverändert aus. Er blickte spöttisch und mit leisem Ekel von seiner Stange auf Köppelsbleek und mit erzwungener Ruhe wie jemand, der einen starken Krampf empfindet, doch das Gesicht bewahrt. Ich wäre kaum erstaunt gewesen, in diesem Antlitz noch das Einglas wahrzunehmen, das er im Leben trug. Auch war sein Haar noch schwarz und glänzend, und ich erriet, daß er zur rechten Zeit die Pille eingenommen hatte, die jeder Mauretanier am Körper führt. Es ist dies eine Kapsel aus buntem Glase, die man zumeist im Ringe und in den Augenblicken der Bedrohung im Munde führt. In dieser Haltung genügt ein Biß, die Kapsel zu zermalmen, in die ein Gift von ausgesuchter Wirkung eingeschlossen ist. Dies ist die Prozedur, die in der Mauretaniersprache als die Berufung an die dritte Instanz bezeichnet wird — entsprechend dem dritten Grade der Gewalt —, und sie gehört zum Bilde, das man in diesem Orden von der Würde des Menschen hegt. Man hält die Würde durch den gefährdet, der niedere Gewalt erduldet; und man erwartet, daß jeder Mauretanier zu jeder Stunde zum tödlichen Appell gerüstet sei. Das also war das letzte Abenteuer von Braquemart.

Ich sah das Bild in der Erstarrung und ohne zu wissen, wie lange ich vor ihm weilte — wie außerhalb der Zeit. Zugleich verfiel ich in ein waches Träumen, in dem ich die Nähe der Gefahr vergaß. In solchem Stande gehen wir wie schlafend durch die Bedrohung — zwar ohne Vorsicht, doch dem Geiste der Dinge nah. Traumwandelnd trat ich auf die Rodung von Köppelsbleek, und wie im Rausche schienen die Dinge mir deutlich, doch nicht außer mir. Sie waren mir wie im Kinderland vertraut, und rings die bleichen Schädel an den alten Bäumen sahen mich fragend an. Ich hörte Geschosse auf der Lichtung singen — sowohl das schwere Schwirren der Armbrustbolzen als auch den scharfen Büchsenschuß. Sie fuhren so nah vorüber, daß sich mir die Schläfenhaare hoben, doch achtete ich ihrer nur wie einer tiefen Melodie, die mich begleitete und mir das Maß für meine Schritte gab.

So kam ich im Schein der Silbergluten bis an die Schreckensstätte und bog die Stange, die das Haupt des Fürsten trug, zu mir herab. Mit beiden Händen hob ich es von der Eisenspitze und bettete es in die Ledertasche ein. Indem ich kniend dies Werk verrichtete, spürte ich an der Schulter einen harten Schlag. Es mußte mich eines der Geschosse getroffen haben, doch fühlte ich weder Schmerzen, noch sah ich Blut an meinem Lederrock. Nur hing der rechte Arm gelähmt herab. Wie aus dem Schlaf erwachend, blickte ich mich um und eilte mit der hohen Trophäe in den Wald zurück. Die Flinte hatte ich am Fundort des Roten Waldvögeleins zurückgelassen, auch konnte sie mir nicht mehr dienlich sein. Ohne mich umzublicken, strebte ich dem Orte, an dem ich die Kämpfenden verlassen hatte, zu.

Hier war es ganz still geworden, und auch die Fackeln leuchteten nicht mehr. Nur wo die Büsche gelodert hatten, lag noch ein Schimmer von roter Glut. In ihm erriet das

Auge am dunklen Boden die Leichen von Kämpfern und erlegte Hunde; sie waren verstümmelt und fürchterlich zerfleischt. In ihrer Mitte, am Stamme eines alten Eichbaums, lag Belovar. Ihm war der Kopf gespalten, und der Blutstrom hatte den weißen Bart gefärbt. Vom Blut gerötet waren auch die Doppelaxt an seiner Seite und der breite Dolch, den seine Rechte noch fest umschloß. Zu seinen Füßen streckte sich der treue Leontodon mit ganz von Schüssen und Stichen zerfetzter Haut und leckte im Sterben ihm die Hand. Der Alte hatte gut gefochten, denn um ihn lag ein Kranz von Männern und Hunden hingemäht. So hatte er den angemessenen Tod gefunden, im vollen Trubel der Lebensjagd, wo rote Jäger rotes Wildbret durch Wälder hetzen, in denen Tod und Wollust tief verflochten sind. Ich sah dem toten Freunde lange in die Augen und legte ihm mit der Linken eine Handvoll Erde auf die Brust. Die Große Mutter, deren wilde, blutfrohe Feste er gefeiert hatte, ist solcher Söhne stolz.

26

Um aus dem Dunkel des großen Waldes auf die Weidegründe zurückzufinden, brauchte ich nur der Spur zu folgen, die wir beim Kommen gezogen hatten, und sinnend schritt ich den weißen Pfad entlang.

Es schien mir seltsam, daß ich während des Gemetzels mich bei den Toten befunden hatte, und ich faßte es als ein Sinnbild auf. Noch immer stand ich im Banne der Träumerei. Der Zustand war mir nicht völlig neu; ich hatte ihn auch früher an Abenden von Tagen erfahren, an denen der Tod mir nahe gewesen war. Wir treten dann mit der Geisteskraft ein wenig aus dem Körper aus und schreiten gleichsam als Begleiter neben unserem Ebenbilde her. Doch hatte ich die Lösung dieser feinen Fäden noch nie so stark empfunden wie hier im Wald. Indem ich träumend die weiße Spur verfolgte, erblickte ich die Welt im dunklen Schimmer des Ebenholzes, in dem sich elfenbeinerne Figürchen spiegelten. Auf diese Weise durchquerte ich auch das Moor am Fillerhorne und trat unweit der hohen Pappeln in die Campagna ein.

Hier sah ich mit Schrecken, daß der Himmel von Feuersbrünsten unheilvoll erleuchtet war. Auch herrschte ein böses Treiben auf den Weidegründen, und Schatten eilten an mir vorbei. Es mochten Knechte, die dem Gemetzel entronnen waren, darunter sein; indessen vermied ich, sie anzurufen, denn viele schienen in trunkener Wut. Dann sah ich solche, die Feuerbrände schwangen, und hörte die Sprache derer von La Picousière. Von diesen strebten Scharen, die mit Beute beladen waren, schon wieder den Wäldern zu. Das Vorgehölz des Roten Stieres war hell erleuchtet; dort mischten sich Weiberschreie in das Gelächter eines Triumphgelages ein.

Voll böser Ahnung eilte ich dem Weidehofe zu, und schon von weitem mußte ich erkennen, daß inzwischen auch Sombor mit den Seinen dem Waldgelichter erlegen war. Die reiche Siedlung stand in hellen Flammen, die schon von Haus und Stall und Scheuer den Dachstuhl abgehoben hatten, und Feuerwürmer tanzten heulend um die Glut. Die

Plünderung war in vollem Gange; sie hatten bereits die Betten aufgeschnitten und füllten sie wie Säcke mit Beute an. Daneben sah ich Gruppen, die vom Gut der Vorratshäuser praßten; sie hatten von gefüllten Fässern die Deckel eingeschlagen und schöpften mit den Hüten ihren Trunk.

Die Mörder waren im Taumel der Völlerei, und dieser Umstand war mir günstig, denn ich wandelte, fast wie im Schlafe, durch ihren Kreis. Vom Feuer, vom Mord und von der Trunkenheit geblendet, bewegten sie sich wie Tiere, die man am Grund von trüben Tümpeln sieht. Sie streiften dicht an mir vorüber, und einer, der einen Filz voll Branntwein schleppte, hob ihn mit beiden Armen gegen mich empor und trollte sich fluchend, als ich ihm den Willkomm weigerte. Unangefochten schritt ich durch sie hindurch, als ob mir die vis calcandi supra scorpiones zu eigen sei.

Als ich die Trümmer des Weidehofes verlassen hatte, fiel mir ein Umstand auf, der meinen Schrecken noch steigerte. Es schien mir nämlich, als ob im Rücken die Glut der Feuersbrunst verblaßte — doch weniger infolge der Entfernung als vor einer neuen und grimmigeren Röte, die sich vor mir am Firmament erhob. Auch dieser Teil der Weidegründe war nicht ganz unbelebt. Ich sah versprengtes Vieh und Hirten auf der Flucht. Vor allem vernahm ich in der Ferne das Geläut der roten Meute, das sich zu nähern schien. Daher beeilte ich meine Schritte, obwohl mein Herz zugleich ein Bangen vor dem fürchterlichen Flammenringe spürte, dem ich entgegenging. Schon sah ich dunkel die Marmorklippen ragen, wie schwarze Riffe am Lavameer. Und während ich die Hunde im Rücken hörte, erklomm ich hastig die schroffe Zinne, von deren Rande unser Auge so oft im hohen Rausche die Schönheit dieser Erde in sich eingetrunken hatte, die ich nun im Purpurmantel der Vernichtung sah.

Nun war die Tiefe des Verderbens in hohen Flammen offenbar geworden, und weithin leuchteten die alten und schönen Städte am Rande der Marina im Untergange auf. Sie funkelten im Feuer gleich einer Kette von Rubinen, und kräuselnd wuchs aus den dunklen Tiefen der Gewässer ihr Spiegelbild empor. Es brannten auch die Dörfer und die Weiler im weiten Lande, und aus den stolzen Schlössern und den Klöstern im Tale schlug hoch die Feuersbrunst empor. Die Flammen ragten wie goldene Palmen rauchlos in die unbewegte Luft, indes aus ihren Kronen ein Feuerregen fiel. Hoch über diesem Funkenwirbel schwebten rot angestrahlte Taubenschwärme und Reiher, die aus dem Schilfe aufgestiegen waren, in der Nacht. Sie kreisten, bis ihr Gefieder sich in Flammen hüllte, dann sanken sie wie brennende Lampione in die Feuersbrunst hinab.

Als ob der Raum ganz luftleer wäre, drang nicht ein Laut herauf; das Schauspiel dehnte sich in fürchterlicher Stille aus. Ich hörte dort unten nicht die Kinder weinen und die Mütter klagen, auch nicht das Kampfgeschrei der Sippenbünde und das Brüllen des Viehes, das in den Ställen stand. Von allen Schrecken der Vernichtung stieg zu den Marmorklippen einzig der goldene Schimmer empor. So flammen ferne Welten zur Lust der Augen in der Schönheit des Unterganges auf.

Auch hörte ich nicht den Schrei, der meinem Mund entstieg. Nur tief in meinem Inneren, als ob ich selbst in Flammen stünde, hörte ich das Knistern der Feuerwelt. Und nur dies feine Knistern konnte ich vernehmen, während die Paläste in Trümmer fielen und aus den Hafenspeichern die Getreidesäcke hoch in die Lüfte stiegen, um glühend zu zersprühen. Dann flog, die Erde spaltend, der große Pulverturm am Hahnentore auf. Die schwere Glocke, die seit tausend Jahren den Belfried zierte und deren Klänge Unzählige im Leben und im Sterben geleitet hatten, begann erst dunkel und dann immer heller aufzuglühen und stürzte endlich, den Turm zermalmend, aus ihrem Lager ab. Ich sah die Giebelfirste der Säulentempel in roten Strahlen leuchten, und von den hohen Sockeln neigten sich mit Schild und Speer die Götterbilder nieder und sanken lautlos in die Glut.

Vor diesem Feuermeere faßte mich zum zweiten Male, und stärker noch, die Traumesstarre an. Und wie wir in solchem Stande vieles zugleich durchschauen, so hörte ich auch, wie die Meute und hinter ihr das Waldgelichter sich unablässig näherten. Schon hatten die Hunde fast den Klippenrand erreicht, und ich vernahm in Pausen den tiefen Anschlag von Chiffon Rouge, den sein Rudel heulend begleitete. Doch war ich in dieser Lage nicht fähig, nur den Fuß zu heben, und ich fühlte, wie mir der Schrei im Munde blieb. Erst als ich die Tiere bereits erblickte, gelang es mir, mich zu bewegen, doch blieb der Bann bestehen. So schien es mir, als ob ich sanft die Marmorklippenstufen hinunterschwebte; auch hob ich mich in leichtem Schwunge über die Hecke, die den Garten der Rautenklause friedete. Und hinter mir im dichtgedrängten Rudel hetzte polternd die Wilde Jagd den schmalen Felsenpfad hinab.

27

Im Sprunge war ich in dem weichen Boden der Lilienbeete halb zu Fall gekommen, und mit Staunen sah ich, daß
der Garten wundersam erleuchtet war. Die Blumen und die
Büsche strahlten im blauen Glanze, als wären sie auf Porzellan gemalt und dann durch Zauberspruch belebt.

Oben im Küchenvorhof standen Lampusa und Erio, in
den Anblick der Feuersbrunst vertieft. Auch Bruder Otho
sah ich im festlichen Gewande auf dem Altan der Rautenklause; er lauschte in der Richtung der Felsentreppe, auf
der nun wie ein Gießbach das Waldgelichter mit den Hunden herunterbrach. Schon huschte es an der Hecke wie ein
Rattenschwarm, und Fäuste rüttelten am Gartentor. Da sah
ich Bruder Otho lächeln, indem er prüfend die bergkristal-
lene Lampe, auf der ein blaues Flämmchen tanzte, vor die
Augen hob. Er schien kaum wahrzunehmen, wie indessen
unter den Streichen der Hundehetzer die Pforte barst und
wie das dunkle Rudel frohlockend in die Lilienbeete brach,
an seiner Spitze Chiffon Rouge, um dessen Hals die Klingen
funkelten.

In dieser Not erhob ich meine Stimme, um Bruder Otho
anzurufen, den ich noch immer wie lauschend auf dem Al-
tane stehen sah. Doch schien er mich nicht zu hören, denn er
wandte sich unbewegten Blickes und trat mit vorgestreckter
Leuchte in das Herbarium ein. So hielt er sich als hoher
Bruder — da er im Angesichte der Vernichtung dem Werke,
dem wir unser Leben gewidmet hatten, die Weihe geben
sollte, fehlte ihm das Auge für meine körperliche Not.

Da rief ich denn Lampusa an, die mit vom Feuerschein erhellter Miene vor dem Eingang der Felsenküche stand, und sah sie flüchtig, mit gekreuzten Armen, indes ein grimmes Lächeln ihren Zahn entblößte, in das Gewimmel schauen. Der Anblick zeigte, daß von dieser kein Mitleid zu erwarten stand. Solange ich ihren Töchtern Kinder zeugte und mit dem Schwertarm die Feinde schlug, war ich willkommen; doch war ihr jeder Sieger als Eidam gut, so wie sie jeden in der Schwäche verachtete.

Da, als schon Chiffon Rouge im Ansprung stand, war es mein Erio, der mir zu Hilfe kam. Der Knabe hatte das Silberkesselchen ergriffen, das von der Schlangenspende noch im Vorhof stand. Er schlug es, nicht wie sonst mit seinem Birnholzlöffel, sondern mit einer erzenen Gabel an. Sie lockte aus dem Becken einen Ton hervor, der einem Lachen glich und Mensch und Tier erstarren ließ. Ich spürte, wie unter dem Fuß der Marmorklippen die Klüfte bebten, dann erfüllte ein feines Pfeifen hundertfach die Luft. Im blauen Glanz des Gartens brach ein helles Leuchten auf, und blitzend schossen die Lanzenottern aus ihren Schrunden vor. Sie glitten durch die Beete wie blanke Peitschenschnüre, unter deren Schwunge ein Wirbel von Blütenblättern sich erhob. Dann stellten sie, am Boden einen goldenen Kreis beschreibend, sich langsam bis zur Manneshöhe auf. Sie wiegten das Haupt in schweren Pendelschlägen, und ihre zum Angriff vorgestellten Fänge blinkten tödlich wie Sonden aus gekrümmtem Glase auf. Zu diesem Tanze durchschnitt ein leises Zischen, als ob sich Stahl in Wasser kühlte, die Luft; auch stieg ein feines, hörnernes Klappern, wie von den

Kastagnetten maurischer Tänzerinnen, von der Fassung der Beete auf.

In diesem Reigen stand das Waldgelichter vor Schreck versteinert, und die Augen quollen ihm aus den Höhlen vor. Am höchsten war die Greifin aufgerichtet; sie wiegte sich mit lichtem Schilde vor Chiffon Rouge und kreiste ihn wie spielend mit den Figuren ihrer Serpentinen ein. Das Untier folgte den Schwüngen ihrer tänzerischen Windung bebend und mit gesträubtem Fell — dann schien die Greifin es ganz leicht am Ohr zu streifen, und vom Todeskrampf geschüttelt, die Zunge sich zerbeißend, wälzte der Bluthund sich im Lilienflor.

Das war das Zeichen für die Schar der Tänzerinnen, die sich mit goldenen Ringen auf ihre Beute warf, so dicht verflochten, daß nur *ein* Schuppenleib die Männer und die Hunde zu umwinden schien. Auch schien es nur *ein* Todesschrei, der diesem prallen Netz entstieg und den die schnürend feine Kraft des Giftes sogleich erdrosselte. Dann löste sich die blinkende Verflechtung, und die Schlangen zogen in ruhiger Windung wieder in ihre Klüfte ein.

Inmitten der Beete, die nun dunkle und vom Gift geblähte Kadaver deckten, hob ich den Blick zu Erio. Ich sah den Knaben mit Lampusa, die ihn stolz und zärtlich führte, in die Küche treten, und lächelnd winkte er zurück, indes das Felsentor sich knarrend hinter ihnen schloß. Da spürte ich, daß das Blut mir leichter in den Adern kreiste und daß der Bann, der mich ergriffen hatte, gewichen war. Auch konnte ich die Rechte wieder frei bewegen, und eilig trat ich, da mich um Bruder Otho bangte, in die Rautenklause ein.

28

Als ich die Bibliothek durchschritt, fand ich die Bücher
und die Pergamente in strenger Ordnung, wie man sie
schafft, wenn man auf eine lange Reise geht. Die runde Ta-
fel in der Halle trug die Larenbilder — sie waren mit Blumen, Wein und Opferspeise wohl versehen. Auch dieser
Raum war festlich hergerichtet und strahlend von den hohen
Kerzen des Ritters Deodat erhellt. Ich fühlte mich in ihm so
heimisch, als ich ihn feierlich gerüstet fand.

Indem ich sein Werk betrachtete, trat Bruder Otho oben
aus dem Herbarium, dessen Türe er weit geöffnet ließ. Wir
fielen uns in die Arme und teilten uns, wie einstmals in den
Pausen des Gefechtes, unsere Abenteuer mit. Als ich er-
zählte, wie ich den jungen Fürsten angetroffen hatte, und
meine Beute aus der Ledertasche zog, sah ich Bruder Othos
Antlitz erstarren — dann, mit den Tränen, zog ein wunder-
sames Leuchten in ihm auf. Wir wuschen mit dem Wein, der
bei den Opferspeisen stand, das Haupt vom Blut und Todes-
schweiße rein, dann betteten wir es in eine der großen Duftamphoren, in der die Blätter von weißen Lilien und Schiras-
rosen schimmerten. Nun füllte Bruder Otho zwei Pokale mit
dem alten Weine, die wir, nachdem wir die Libation vergos-
sen hatten, leerten und dann am Sockel des Kamins zer-
schmetterten. So feierten wir Abschied von der Rautenklause, und mit Trauer verließen wir das Haus, das unserem
Geistesleben und unserer Bruderschaft zum warmen Kleide
geworden war. Doch müssen wir ja von jeder Stätte weichen,
die uns auf Erden Herberge gab.

Nun eilten wir, unser Gut verlassend, durch die Gartenpforte dem Hafen zu. Ich hielt in beiden Armen die Amphore, und Bruder Otho hatte den Spiegel und die Leuchte an seiner Brust verwahrt. Als wir die Biegung erreichten, an welcher der Pfad sich in den Hügeln zum Kloster der Falcifera verliert, verweilten wir noch einmal und blickten auf unser Haus zurück. Wir sahen es im Schatten der Marmorklippen liegen, mit seinen weißen Mauern und dem breiten Schieferdache, auf dem sich matt der Schimmer der fernen Feuer spiegelte. Gleich dunklen Bändern zogen sich um die hellen Wände die Terrasse und der Altan. So baut man in den schönen Tälern, in denen unser Volk am Südhang wohnt.

Indem wir so die Rautenklause betrachteten, erhellten sich ihre Fenster, und aus dem Giebel fuhr eine Flamme bis zur Höhe des Marmorklippenrandes auf. Sie glich an Farbe dem Flämmchen auf der Leuchte Nigromontans — tief dunkelblau — und ihre Krone war gleich dem Kelche der Enzianblüte ausgezackt. Hier sahen wir die Ernte vieler Arbeitsjahre den Elementen zum Raube fallen, und mit dem Hause sank unser Werk in Staub. Doch dürfen wir auf dieser Erde nicht auf Vollendung rechnen, und glücklich ist der zu preisen, dessen Wille nicht allzu schmerzhaft in seinem Streben lebt. Es wird kein Haus gebaut, kein Plan geschaffen, in welchem nicht der Untergang als Grundstein steht, und nicht in unseren Werken ruht, was unvergänglich in uns lebt. Dies leuchtete uns in der Flamme ein, doch lag in ihrem Glanze auch Heiterkeit. Mit frischen Kräften eilten wir den Pfad entlang. Noch war es dunkel, doch aus den Rebenhügeln und Uferwiesen stieg schon die Kühlung des Morgens auf. Auch schien es dem Gemüt, als ob die Feuer am Firmament ein wenig von ihrer unheilvollen Kraft verlören; es mischte sich Morgenröte ein.

Am Bergeshange sahen wir auch das Kloster der Maria Lunaris in Gluten eingehüllt. Die Flammen schlugen am Turm empor, so daß das goldene Füllhorn glühte, das auf dem Knauf als Wetterfahne schwang. Das hohe Kirchenfenster an der Seite des Bildaltars war schon zersprungen, und wir sahen im leeren Rahmen den Pater Lampros stehen. In seinem Rücken glomm es wie aus dem Feuerofen, und wir eilten, um ihn zu rufen, bis an den Klostergraben vor. Er stand im Prunkornat; auf seinem Antlitz sahen wir ein unbekanntes Lächeln leuchten, als ob die Starre, die uns sonst an ihm erschreckte, im Feuer dahingeschmolzen sei. Er schien zu lauschen, und doch hörte er unsere Rufe nicht. Da hob ich das Haupt des Fürsten aus der Duftamphore und streckte es mit der Rechten hoch empor. Bei seinem Anblick faßte uns ein Schauer, denn die Feuchte des Weines hatte die Rosenblätter angesogen, so daß es nun im dunklen Purpurprunke aufzuleuchten schien.

Doch war es noch ein anderes Bild, das uns, als ich das Haupt erhob, ergriff — wir sahen im grünen Glanze die Rosette strahlen, die in noch unversehrter Rundung den Fensterbogen schloß, und ihre Bildung war uns wundersam vertraut. Uns schien, als hätte uns ihr Vorbild in jenem Wegerich geleuchtet, den Pater Lampros uns einst im Klostergarten wies — nun offenbarte sich die verborgene Beziehung dieser Schau.

Der Pater wandte, als ich ihm das Haupt entgegenstreckte, den Blick zu uns, und langsam, halb grüßend und halb deutend, wie bei der Consecratio, hob er die Hand, an welcher der große Karneol im Feuer glomm. Als hätte er mit dieser Geste ein Zeichen von schrecklicher Gewalt gegeben, sahen wir die Rosette in goldenen Funken auseinandersprühen, und mit dem Bogen stürzten wie ein Gebirge Turm und Füllhorn auf ihn herab.

29

Das Hahnentor war eingefallen; wir bahnten uns über seine Trümmer einen Weg. Die Straßen waren von Mauerresten und Balkenwerk bedeckt, und rings im Brandschutt lagen Erschlagene verstreut. Wir sahen finstere Bilder im kalten Rauch, und dennoch lebte eine neue Zuversicht in uns. So bringt der Morgen Rat; und schon die Wiederkehr des Lichtes nach dieser langen Nacht erschien uns wunderbar.

In diesem Trümmerfelde verblaßten die alten Händel wie Erinnerungen an einen schlechten Rausch. Nichts als das Unglück war zurückgeblieben, und die Kämpfer hatten Fahnen und Zeichen abgelegt. Noch sahen wir plünderndes Gelichter in den Seitengassen, doch zogen nun die Söldner in Doppelposten auf. Am Zwinger trafen wir Biedenhorn, der sie verteilte und sich ein großes Ansehen gab. Er stand in goldenem Küraß auf dem Platze, doch ohne Helm, und rühmte sich, schon Tannenbäume aufgeputzt zu haben —

das heißt, er hatte die Erstbesten ergreifen lassen und in die Ulmen am Walle aufgehängt. Nach martialischer Gewohnheit hatte er sich während der Tumulte gut verschanzt gehalten — nun, da die ganze Stadt in Scherben lag, trat er hervor und spielte den Wundermann. Im übrigen war er gut informiert, denn auf dem runden Turm des Zwingers wehte die Standarte des Oberförsters, der rote Eberkopf.

Es schien, daß Biedenhorn schon scharf getrunken hatte; wir trafen ihn in der grimmig guten Laune, die ihn zum Liebling seiner Söldner machte, an. Ganz unverhohlen lebte in ihm das Ergötzen, daß es den Schreibern, Versemachern und Philosophen der Marina nun ans Leder ging. Auch war ihm, wie der alte Bildungsduft, der Wein und seine Geistigkeit verhaßt. Er liebte die schweren Biere, die man in Britannien und in den Niederlanden braut, und sah das Volk an der Marina als Schneckenfresser an. Er war ein wilder Stößer und Zecher und glaubte felsenfest, daß jeder Zweifel auf dieser Erde durch rechtes Einhaun zu entscheiden sei. Auf diese Weise besaß er Ähnlichkeit mit Braquemart — doch war er insofern viel gesünder, als er die Theorie verachtete. Wir schätzten ihn ob seiner Unbefangenheit und seines guten Appetites, denn wenn er auch an der Marina fehl am Platze war, so darf man doch den Bock nicht tadeln, den man zum Gärtner macht.

Zum Glück gehörte Biedenhorn zu denen, welchen der Frühtrunk die Erinnerung belebt. So brauchten wir ihn nicht an jene Stunde vor den Pässen zu gemahnen, in der er mit seinen Kürassieren ins Gedränge geraten war. Dort war er zu Fall gekommen, und wir sahen die freien Bauern von

Alta Plana schon beschäftigt, ihm den Panzer aufzumeißeln — wie man beim Prunkmahl einem Hummer, den die Kunst des Koches vergoldete, die Schale bricht. Schon kitzelte der Fugenstecher ihn am Halse, da schafften wir ihm und seinen Söldnern mit den Purpurreitern wieder Luft. Das war die Diversion, bei welcher der junge Ansgar uns in die Hände gefallen war. Auch kannte uns Biedenhorn aus unseren Mauretanierzeiten — das wirkte mit, daß er sich, als wir ihn um ein Schiff ersuchten, nicht lumpen ließ. Gilt doch die Stunde der Katastrophe als die Stunde der Mauretanier. Es stellte uns die Brigantine zur Verfügung, die er im Hafen hielt, und teilte uns zum Geleite eine Gruppe von Söldnern zu.

Die Straßen, die zum Hafen führten, waren von Flüchtlingen erfüllt. Doch schien es, daß nicht alle die Stadt verlassen wollten, denn wir sahen aus den Ruinen der Tempel bereits den Rauch von Opfern steigen, und aus den Trümmern der Kirchen hörten wir Gesang. In der Kapelle der Sagrada Familia dicht am Hafen war die Orgel verschont geblieben, und mächtig führten ihre Klänge das Lied, das die Gemeinde sang:

> Fürsten sind Menschen, vom Weib geboren,
> Und kehren um zu ihrem Staub;
> Ihre Anschläge sind auch verloren,
> Wenn nun das Grab nimmt seinen Raub.
> Weil denn kein Mensch uns helfen kann,
> Rufen wir Gott um Hilfe an.

Am Hafen drängte sich das Volk, das mit den Resten seiner Habe beladen war. Schon waren die Schiffe nach Burgund und Alta Plana überfüllt, und jeden der Segler, den die Knechte mit ihren Stangen vom Kai abstießen, verfolgte ein lautes Wehgeschrei. Inmitten dieses Elends schaukelte, wie unter Tabu, die Brigantine Biedenhorns an der Dückdalbe, die schwarz-rot-schwarz gezeichnet war. Sie glänzte in dunkelblauem Lack und kupfernen Beschlägen, und als ich Order zur Abfahrt gab, zogen die Knechte die Persenning von den roten Lederpolstern der Ruhebänke fort. Indes die Söldner mit ihren Piken die Menge in Achtung hielten, gelang es uns, noch Frauen und Kinder aufzunehmen, bis unser Deck kaum eine Handbreit über Wasser schwamm. Dann ruderten die Knechte uns aus dem Hafenbecken, das in die Mauer eingeschlossen war, und draußen erfaßte uns sogleich ein frischer Wind und trieb uns auf die Berge von Alta Plana zu.

Noch lag das Wasser in der Morgenkühle, und die Wirbel zogen auf seinem Spiegel Schlieren wie auf grünem Glas. Doch schob sich schon die Sonne über die Zacken der Schneegebirge vor, und blendend tauchten die Marmorklippen aus dem Dunste der Niederungen auf. Wir blickten auf sie zurück und ließen die Hände im Wasser streifen, das sich im Sonnenlicht ins Blaue wandte, als drängen Schatten aus seiner Tiefe vor.

Wir hielten die Amphore in guter Hut. Noch kannten wir nicht das Schicksal dieses Hauptes, das wir mit uns führten und das wir den Christen überlieferten, als sie den großen Dom an der Marina aus seinen Trümmern errichteten.

Sie fügten es in seinen Grundstein ein.

Doch vorher, im Pallas der Stammburg der Sunmyras, sprach Bruder Otho es im Eburnum an.

30

Die Männer von Alta Plana waren an den Marken aufgezogen, als die Feuersbrunst den Himmel zeichnete. So kam es, daß wir den jungen Ansgar schon vor der Landung am Ufer sahen; und freudig winkte er uns zu.

Wir rasteten ein wenig bei seinen Leuten, während er Boten zu seinem Vater sandte, dann stiegen wir langsam zum Talhof auf. Als wir die Pässe erreichten, verweilten wir an dem großen Heroon und auch an manchem der kleinen Male, die dort auf dem Gefilde errichtet sind. Wir kamen dabei auch an die Enge, an der wir Biedenhorn mit seinen Söldnern herausgehauen hatten — an dieser Stelle reichte Ansgar uns von neuem die Hand und sagte, alles, was teilbar sei von seiner Habe, gehöre von nun an uns zur Hälfte mit.

Am Mittag erblickten wir den Hof im alten Eichenhaine, der ihn umschloß. Als wir ihn sahen, wurde uns heimatlich zumute, denn wie bei uns im Norden fanden wir unter seinem tiefen Dache die Scheuern, Ställe und die Menschenwohnung, alles in einem, wohl geschirmt. Auch gleißte vom breiten Giebel der Pferdekopf. Das Tor war weit geöffnet, und die Tenne blinkte im Sonnenschein. Über die Raufen schaute das Vieh in sie hinein, das heute an den Hörnern den goldenen Zierat trug. Die große Halle war feierlich gerichtet, und aus dem Kreise der Männer und der Frauen, die vor ihr harrten, trat zum Empfang der alte Ansgar auf uns zu.

Da schritten wir durch die weit offenen Tore wie in den Frieden des Vaterhauses ein.

Ich war schon schlafen gegangen, als der Wagen sich mit abgeblendeten Lichtern dem Weinberg näherte. Nächtliche Besuche waren schon, wenn nicht unheimlich, so doch suspekt. Ich bat den Bruder, mich zu vertreten, und legte mich wieder zur Ruh.

Dann hörte ich durch die Wand das Gespräch, das sich entwickelte — nicht Worte und Sätze, sondern die wachsende Intensität. Ich stand auf, ging im Pyjama hinüber und begrüßte die Gäste — waren es drei oder vier? Ich habe ihre Zahl vergessen und auch die Namen, bis auf den einen, den des später Hingerichteten. Auch habe ich vergessen, worüber gesprochen wurde — vielleicht nicht einmal über Politik. Doch es herrschte ein seltsamer Consensus, wortlose Übereinstimmung. Das war die Episode, aus der sich der »Besuch Sunmyras« entwickelte.

Es muß einige Tage später gewesen sein, als wir uns in einem der kleinen Nester am Bodensee zum Gangfischessen versammelten: der Fürst Sturdza, der Komponist Gerstberger, der Bruder und andere. Am Westwall wurde bereits geschanzt. Es wurde viel getrunken; ich übernachtete in Ermatingen bei Gerstbergers. Am Morgen weckte mich sein Gesang.

Ich wußte nicht mehr, was sich in der Nacht ereignet hatte, doch war sie bildreich gewesen; der Tieftrunk kann in eine Art von Trance führen. Nur daß die schönen Städte am Ufer brannten und die Flammen sich im Wasser spiegelten, war mir bewußt. Es war der Vorbrand gewesen, wie man ihn in Westfalen und Niedersachsen kennt.

In guter Laune begleitete ich den Komponisten durch die Obstgärten. Der Herbst war vorgeschritten; reife Äpfel lagen auf dem Weg. Die Morgensonne beschien die Reichenau. Die Handlung hatte sich bis in die Einzelheiten geformt. Sie war nur noch ins Wort zu übertragen, zu erzählen, was ohne Hast im Frühling und Sommer des Jahres 1939 geschah. Die Korrekturen las ich schon beim Heer.

Ein Begleitumstand, nämlich die Gefahr des Unternehmens, ist viel beredet worden — mich hat er nur am Rande beschäftigt, schon deshalb, weil er am Kern der Sache vorüberging und in den politischen Vordergrund abzweigte. Daß der Text auch in diesem Sinn herausforderte, war mir und meinem Bruder nicht weniger bewußt als dem Lektor der »Hanseaten«, Weinreich, und ihrem Leiter Benno Ziegler, dem die Publikation auch sofort Unangenehmes einbrachte. Das kulminierte schon in der ersten Woche mit der Beschwerde des Reichsleiters Bouhler bei Hitler, die ohne Ergebnis blieb. Über die Einzelheiten wurde ich ziemlich genau unterrichtet; auch das strengste Regime ist durchlässig.

Ich lag inzwischen am Westwall und las im Bunker Kritiken, auch von ausländischen Zeitungen, in denen der politische Bezug mehr oder minder deutlich betont wurde. Auch an Zuschriften fehlte es nicht. »Wenn bei uns zwei oder drei in der Ecke standen und sich unterhielten, so war es nicht über den Feldzug in Polen, sondern über das Buch.« So eine Gießener Studentin, après coup. Einige Auflagen waren schnell vergriffen; als es mit dem Papier schwierig wurde, ließ die Armee das Buch in eigener Regie drucken, einmal in Riga, einmal in Paris, wo auch bald die vorzügliche Übersetzung von Henri Thomas erschien.

Es wurde früh begriffen, selbst im besetzten Frankreich, daß »dieser Schuh auf verschiedene Füße paßt«. Kurz nach dem Kriege hörte man von Schwarzdrucken in der Ukraine und in Litauen. Die einzige offizielle Übersetzung jenseits des Eisernen Vorhanges erschien 1971 in Bukarest.

Soviel zum Politischen. Wenn ich das, wie meine Freunde mir vorwerfen, eher bagatellisiert habe, so hatte ich meine Gründe dazu. Wenngleich die politische Lage mit ihrem Albdruck diesen Angriff aus dem Traumreich heraus entfaltete und das sogleich in diesem Sinn erfaßt wurde, ging die Begegnung doch zeitlich wie räumlich über den Rahmen des Aktuellen und Episodischen hinaus.

Wachsende Allergie gegen das Wort »Widerstand« kam hinzu. Ein Mann kann mit den Mächten der Zeit harmonieren, er kann zu ihnen in Kontrast stehen. Das ist sekundär. Er kann an jeder Stelle zeigen, wie er gewachsen ist. Damit erweist er seine Freiheit — physisch, geistig, moralisch, vor allem in der Gefahr. Wie er sich treu bleibt: das ist sein Problem. Es ist auch der Prüfstein des Gedichts.

10. Dezember 1972

Ernst Jünger

Das abenteuer-
liche Herz

Zweite Fassung

Ullstein Buch 2903

»Es gibt nicht wenige Freunde Ernst Jüngers, denen ›Das abenteuerliche Herz‹ als sein echtestes und gewichtigstes Buch erscheinen will, ungeachtet der ›Strahlungen‹ und des ›Heliopolis‹-Romanes. Die präzis gearbeiteten kurzen Stücke sind von einer Transparenz, die ihresgleichen im Raume unserer beschreibenden Dichtung sucht.«
Schwäbische Donauzeitung

ein Ullstein Buch

Gerhart Hauptmann

Der Ketzer von Soana

Ullstein Buch 3045

Hauptmann schildert in dieser Erzählung den Weg eines jungen katholischen Priesters im Tessin und dessen Wandlung vom weltabgewandten Asketen zum leidenschaftlichen Lebensbejahenden. Die Erzählung lebt von nachhaltigen Eindrücken, die Hauptmann während seiner Griechenlandreise empfing. Sie vergegenwärtigt jene Polarität von Askese und Lebensfreude, die Hauptmann aufzulösen sucht: Nur der Eros als die »Gnadengabe höchster Glückseligkeit« und Hingabe an die Natur und alles Natürliche führen zur Erfüllung des Lebens.

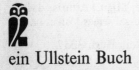

ein Ullstein Buch

Miguel Angel Asturias

Sturm

Dieser erste Roman einer Tri-
logie handelt vom Kampf um
eine Bananenplantage in
Guatemala. Held der Geschichte
ist ein Nordamerikaner, der
sich zum Fürsprecher der
Pflanzer macht.

Ullstein Buch 3234

Der grüne Papst

Der zweite Band schildert den
Lebenslauf des Nordameri-
kaners Maker Thompson, der
von einem Piraten zur See zu
einem Piraten zu Lande wird:
zum grünen Papst, dem Allein-
herrscher über die einge-
borenen Indios in einem
Bananenland.

Ullstein Buch 3297

Die Augen
der Begrabenen

Die Augen der Begrabenen —
das sind die Augen der Opfer,
die sich unter der Erde nicht
schließen wollen, ehe nicht der
Tag des Gerichts angebrochen
ist. Mit eigenwilliger, bildhafter
Sprache zeichnet Nobelpreis-
träger Miguel Asturias das
Schicksal seines Volkes nach.

Ullstein Buch 3337

ein Ullstein Buch